LES GUIDES DRÔLES ET SYMPATHIQUES SUR L'ART DE VIVRE AU CHALET

Vol. 1 – S'INITIER AUX BONNES MANIÈRES

MARIE-CATHERINE LAPOINTE
SARAH MARCOTTE-BOISLARD

Textes : Marie-Catherine Lapointe
Illustrations et conception graphique : Sarah Marcotte-Boislard
Révision et corrections d'épreuves : Emily Patry et Flavie Léger-Roy
Coordination : Noémie Graugnard

Un ouvrage sous la direction d'Antoine Ross Trempe

Publié par :
Les Éditions Cardinal inc.
5333, avenue Casgrain, bureau 1206
Montréal, Québec
H2T 1X3
editions-cardinal.ca

Dépôt légal : 2015
Bibliothèque et Archives nationales du Québec
Bibliothèque et Archives Canada
ISBN : 978-2-924155-89-9

Nous reconnaissons avoir reçu l'aide financière du gouvernement du Canada
par l'entremise du Fonds du livre du Canada (FLC) pour nos activités d'édition
ainsi que l'aide du gouvernement du Québec – Crédit d'impôt remboursable
pour l'édition de livres et programme d'Aide à l'édition et à la promotion – SODEC.

ISBN : 978-2-924155-89-9

Imprimé au Canada

À
ANTOINE
ROBIN
JULES
MALORIE

pour qu'au chalet,
ils ne s'ennuient jamais.

LES GUIDES DRÔLES & SYMPATHIQUES sur L'ART DE VIVRE AU CHALET

vol. 1 S'INITIER AUX BONNES MANIÈRES

L'ART DE VIVRE AU CHALET

Oui, la vie en ville, avec son feu roulant d'activités et d'obligations, peut être exigeante et complexe. Qui pourrait vous blâmer de vouloir renouer avec les plaisirs simples de la vie à la campagne? Respirer l'air pur, vivre au rythme des saisons... Le chalet avec ses mille et un visages, de la luxueuse résidence secondaire au petit camp de pêche sans électricité, se veut un refuge de paix synonyme de vacances, de découvertes, de jeux et de rencontres agréables.

Mais attention! Il est fort possible que l'être urbain, sorti de son milieu naturel, perde ses repères au cours du processus migratoire. Il apparaissait donc d'une importance capitale, pour *Les guides drôles et sympathiques sur l'art de vivre au chalet*, de venir au secours du citadin en exil et d'être à ses côtés pour le guider et l'accompagner à l'occasion de sa migration au chalet.

Vous trouverez dans les livres *S'initier aux bonnes manières*, *Découvrir la nature* et *Se divertir simplement* une foule de recommandations, d'idées d'activités et d'astuces de toutes sortes. Ces guides vous permettront de vous amuser d'un rien tout en vous fournissant, au passage, quelques informations commodes. Après votre lecture, vous serez en mesure, entre autres choses, de recevoir des enfants, de fabriquer un sifflet en frêne, de dresser une table champêtre et de choisir un maillot de bain qui avantage votre silhouette.

Ceux qui aiment les chalets autant que ceux qui s'y ennuient découvriront en ces pages une formidable collection d'informations utiles et futiles à mettre en pratique... ou non. Des livres à laisser traîner dans tous les chalets, à côté du feu, mais pas trop près, quand même.

LES MOTS POUR LE DIRE

MAISON DE CAMPAGNE : maison que l'on a à la campagne pour l'agrément. « Molière avait une maison de campagne à Auteuil où il se délassait souvent des fatigues de sa profession, qui sont bien plus grandes qu'on ne pense. » Voltaire

CABANE : petite construction rudimentaire faite de matériaux grossiers.

ERMITAGE : maison de campagne retirée.

RÉSIDENCE SECONDAIRE : lieu d'habitation s'ajoutant à la résidence principale et dans lequel, généralement, on séjourne pendant les vacances et les week-ends.

VILLA : maison d'habitation ou de villégiature, généralement vaste et avec jardin. Historiquement, domaine rural ou riche demeure de villégiature.

CAMP DE CHASSE : maison qui sert de rendez-vous de chasse.

CAMP DE PÊCHE : maison qui sert de rendez-vous de pêche.

SHACK : petite cabane rudimentaire.

CABINE : petite construction, particulièrement sur une plage.

S'INITIER AUX BONNES MANIÈRES

De tout temps, la nature a fasciné et attiré l'humanité, mais la peur de quitter la civilisation pour se retrouver au cœur d'un monde sauvage et impitoyable empêche nombre de citadins de profiter des joies de la campagne. Au début de la colonie, le charme des grandes étendues sylvestres n'a-t-il pas poussé nombre de braves colons à quitter leur communauté pour devenir des coureurs des bois sans foi ni loi? Comment demeurer une personne civilisée au chalet est une préoccupation fort légitime. La vie rurale peut mettre à rude épreuve le tempérament autrement très obligeant d'une personne de qualité.

On ne saurait vivre à la ville comme au chalet, il va sans dire. En revanche, soyez rassuré, le savoir-vivre, lui, ne prend jamais de vacances et ce guide sera votre fidèle compagnon tout au long de votre séjour au chalet. Que vous soyez invité ou que vous receviez, avec vos voisins ou autour du feu, le savoir-vivre est la clé magique qui ouvre le cœur des gens.

Les guides drôles et sympathiques sur l'art de vivre au chalet vous présentent, dans *S'initier aux bonnes manières*, un rappel des règles et des usages, mais aussi divers conseils pour aborder vos vacances avec confiance et dignité, dans le respect de vous-même et des autres. Quel soulagement de vous sentir convenable en toute situation!

LA
VIE

AU CHALET

LA VIE AU CHALET

SI VOUS N'AVEZ PAS DE CHALET, VOUS DEVREZ RÉUSSIR À VOUS FAIRE INVITER...

EN PREMIER LIEU, VOUS DEVEZ, SI CE N'EST DÉJÀ FAIT, COMMENCER À FRÉQUENTER DES GENS AYANT UN CHALET. Recevez régulièrement chez vous les amis et les membres de votre famille qui possèdent un chalet ou invitez-les pour diverses activités. Avec un peu de chance, ils se sentiront redevables et vous inviteront à leur tour.

METTEZ EN VALEUR VOS QUALITÉS SUSCEPTIBLES D'ÊTRE UN ATOUT POUR LA VIE À LA CAMPAGNE : « Mes parents avaient un chalet quand j'étais plus jeune. J'avais un talent particulier pour faire exploser des grenouilles. Il faudrait que je vous montre un de ces jours... »

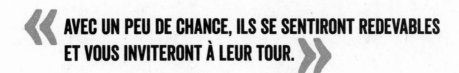

AVEC UN PEU DE CHANCE, ILS SE SENTIRONT REDEVABLES ET VOUS INVITERONT À LEUR TOUR.

ATTENDEZ L'INVITATION, MAIS MONTREZ-VOUS CLAIREMENT DISPONIBLE, SURTOUT EN PÉRIODE DE CANICULE. « Je ne sais pas ce que je vais faire en fin de semaine, ce sera un vrai four en ville. » Paraître sympathique, positif et jovial est une condition *sine qua non*. Vous êtes, à n'en pas douter, un boute-en-train et on serait complètement fou de se passer de votre présence.

L'ART DE FAIRE
SA VALISE

1 Si on a l'amabilité de vous véhiculer, arrangez-vous pour n'avoir qu'une valise, ou un sac à la rigueur. Il est également tout à fait inélégant de voyager avec un sac poubelle.

2 Enquérez-vous de la nécessité d'apporter des couvertures et un oreiller. Il y a beaucoup d'invités? Vous doutez que la literie ait été remplacée depuis l'inauguration du chalet en 1969? Apportez au moins un oreiller. Il serait désagréable d'avoir à poser la tête sur votre manteau roulé en boule parce que vous avez découvert un nid d'écureuil dans le coussin qu'on vous a prêté.

3 Informez-vous au préalable des activités prévues et de la température. Cette dernière peut être étonnamment différente de l'endroit d'où vous venez. Mesdames, vous ne voulez pas qu'on se souvienne de vous comme de la pauvre fille en trench et talons aiguilles, grelottant et claudiquant sur le sentier.

4 Il est intéressant d'apporter plus d'un maillot de bain si vous pensez passer le plus clair de votre temps dans le lac. Remettre un maillot mouillé est difficile, désagréable, voire humiliant.

5 Ne lésinez pas sur les sous-vêtements. Ils prennent peu de place et tout le monde sait qu'une culotte propre et un bon café aident à commencer la journée du bon pied.

6 Prévoyez un sac de plastique pour mettre de côté vos vêtements sales. Vous ne voulez pas avoir à sentir vos sous-vêtements chaque matin pour vous assurer de leur fraîcheur.

7 Misez sur les accessoires: chapeau de paille, lunettes de soleil, casque de poil en raton laveur... Ils sauront insuffler de la personnalité à vos vêtements neutres.

8 Comptez une tenue par jour, mais trois hauts pour chaque pantalon, bermuda ou jupe. Faites des ensembles. De cette manière, personne ne s'apercevra que vous portez souvent la même chose. Les pantalons de la partie de pêche, cependant, ne pourront être réutilisés sans éveiller quelques soupçons.

9 Apportez toujours vos effets de toilette et une serviette de plage. Quoi de plus déplaisant que d'essayer de s'enrouler dans une serviette rêche trop petite au sortir du lac.

10 Limitez-vous à trois ou quatre couleurs pour maximiser les combinaisons possibles. Les couleurs vives et criardes sont à proscrire. Soyez apaisant pour les yeux. Nous vous conseillons des couleurs naturelles pour vous fondre dans le paysage. Oubliez ce dernier conseil si vous vous baladez en forêt en temps de chasse.

11 N'oubliez pas votre pyjama. Il serait très déplaisant pour vos hôtes de vous découvrir nu dans la cuisine à 1 h du matin en train de manger les restes de la veille. Vous risqueriez de ne pas être réinvité.

12 Prévoyez-vous une soirée au village? Pensez à apporter une tenue propre, mais sobre. Si vous devez vous mêler aux locaux, évitez d'attirer l'attention sur votre statut d'étranger ou pire, d'urbain. Laissez donc tomber, messieurs, votre t-shirt col en V plongeant, qu'importe les dictats de la mode. Vous risqueriez de l'abimer au cours de la bagarre.

13 Pour au moins commencer votre séjour avec des vêtements propres, mettez vos chaussures dans des sacs pour éviter les taches de semelles sales, et placez-les aux quatre coins de votre valise pour répartir le poids. Déposez ensuite les vêtements plus lourds ou plus longs au fond de la valise. Comme vous n'aurez probablement pas de vestons ou de robes cocktail, roulez tous vos vêtements pour maximiser l'espace.

14 Vous repérez des interstices? Comblez-les avec des chaussettes et des sous-vêtements. On finit souvent par en manquer.

15 Laissez à la maison tous vos bijoux et accessoires de valeur. Votre montre Nixon et vos lunettes Ray-Ban n'impressionneront pas les orignaux.

Dans votre trousse de toilette

DES MÉDICAMENTS CONTRE LES MAUX DE TÊTE ET LA NAUSÉE

Vous ne voulez pas que votre soirée à boire de la bière chaude autour du feu gâche votre départ à la pêche deux heures plus tard.

VOS ACCESSOIRES D'HYGIÈNE BUCCALE

Les gens sont habituellement réticents à l'idée de partager leur brosse à dents.

PRÉVOYEZ LES ALLERGIES

Vous êtes en milieu propice.

antihistaminiques

UN DÉSINFECTANT ET DES DIACHYLONS

Vous êtes en milieu hostile.

UNE BOUTEILLE DE CHASSE-MOUSTIQUES

Essentielle même si les gens de l'endroit affirment le contraire. Ils sont tolérants. Vous non.

DE LA CRÈME SOLAIRE ET UN TRÈS BON APRÈS SOLEIL

Vous l'apprécierez après avoir dormi tout l'après-midi sur votre chaise longue.

DES SERVIETTES OU DES TAMPONS

Quand les Anglais débarquent au fond des bois,
vaut mieux avoir tout prévu.

COUPE MENSTRUELLE

super confort idéal pour la baignade !

MASCARA À L'ÉPREUVE DE L'EAU

Quoi de plus désagréable que de ressembler
à Alice Cooper après une petite saucette dans le lac ?

après

UN SAVON DOUX POUR VOTRE VISAGE

Après vous être enduite de crème solaire jusqu'à saturation
et avoir fait trempette dans l'eau du lac, vous serez heureuse
de pouvoir vous rabattre sur autre chose que la motte informe
qui traîne dans la douche.

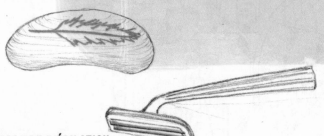

SHAMPOING ET REVITALISANT

L'eau du lac et les grands vents peuvent
être durs sur la chevelure.

UN BAUME À LÈVRES

Avec le soleil et votre nouvelle vie
au grand air, Dieu seul sait comment
réagiront vos pauvres lèvres.

NÉCESSAIRE D'ÉPILATION

Pour l'hiver, vous pouvez toujours arguer que votre
fourrure vous tient au chaud, mais pour la saison
estivale, aucune excuse.

trucs et astuces

POUR ÉPARGNER TEMPS ET ESPACE, UTILISEZ DES PRODUITS MULTIFONCTIONNELS: SHAMPOING-REVITALISANT,
DÉMAQUILLANT-TONIQUE, ETC. LE TEMPS EST VENU D'UTILISER LES PETITS FORMATS VOLÉS DANS LES HÔTELS.

L'ART DE PAQUETER LE CHAR

PLUS VOUS ALLEZ LOIN, MOINS VOUS ALLEZ APPRÉCIER AVOIR UNE PLANCHE À VOILE ACCOTÉE SUR L'ÉPAULE.

POUR COMMENCER, AYEZ UN PLAN. Ne remplissez pas la voiture au fur et à mesure, car vous pourriez vous retrouver avec un objet encombrant à caser à la toute fin, ou encore avec une chose de première nécessité rangée au fond du coffre. Quoi de plus irritant que d'avoir à vider le coffre sur l'accotement à la recherche d'une suce pour calmer bébé qui hurle ? Évitez les tensions inutiles dans votre couple et soyez prévoyant.

IL EST FORTEMENT DÉCONSEILLÉ DE PLACER DES OBJETS VIS-À-VIS DE LA FENÊTRE ARRIÈRE. Non seulement ils empêchent d'avoir une bonne visibilité, mais en cas de freinage brutal ou d'accident, vous vous les prendrez derrière la tête. Lancé à 120 km/h, même un iPod peut être meurtrier.

FAIRE ENTRER VOS VÉLOS DANS LE COFFRE VOUS DONNE ENVIE DE VOUS METTRE AU JOGGING ? Essayer de caser la gigantesque poussette dans l'auto vous donne des envies de vasectomie ? Peut-être êtes-vous mûrs pour faire le deuil de votre virilité, messieurs, et considérer vous munir d'un système de porte-bagages extérieur. Attention, M. Bricole. Pour installer quoi que ce soit sur le toit, il vous faut impérativement un support de base formé de barres transversales. Vous pourriez ensuite y mettre votre bagage tel quel, attaché avec des courroies, ou encore avec de la corde, mais, entre nous, c'est un peu vulgaire et potentiellement dangereux. Privilégiez donc les boîtes de toit, les porte-bagages ou, à la rigueur, le moins glamour sac de transport. Pour vos articles de sport, les supports fabriqués à cet effet (porte-vélos, porte-kayaks, porte-skis, etc.) sont tout désignés. Dans le cas d'une boîte de transport, choisissez-la proportionnée à votre véhicule et de forme aérodynamique plutôt que rectangulaire. Cela vous empêchera d'arrêter trois fois faire le plein. Aussi, évitez-vous l'humiliation d'entrer dans un stationnement sous-terrain lorsque vos vélos sont sur le toit.

TOUT CE QUI EST PLUS LOURD DOIT SE RETROUVER EN DESSOUS. Mettez les grandes valises rigides en premier et ensuite, usez des habiletés développées en jouant à Tetris pour imbriquer les autres en ordre de taille décroissant.

REMPLISSEZ LES TROUS AVEC DU MOU : des petits bagages, des vêtements ou des serviettes de bain que vous aurez mis dans des sacs. Les objets non mous et de forme douteuse (poussettes, raquettes, parasol…) ainsi que les items qui seront utilisés dans un futur proche, comme les couches ou le pique-nique, doivent être placés en dernier, sur le dessus. Franchement, à cette étape, vous devrez probablement choisir entre le parasol et la poussette.

RÉFÉREZ-VOUS AU LIVRET D'ENTRETIEN DE VOTRE VÉHICULE pour connaître la charge maximale que celui-ci peut supporter. Votre toit ploie et votre voiture laisse des sillons dans l'asphalte ? Vous êtes probablement trop chargé. Attention ! Plus un véhicule est lourd, plus sa distance de freinage est longue. La maîtrise de la direction est aussi plus difficile et entraîne une moins bonne tenue de route. Conduisez plus lentement. Soyez prudent dans les virages et vérifiez régulièrement que tout est bien attaché. Et surtout, pas de freinages brutaux si vous ne voulez pas empaler quelqu'un avec un aviron.

FINALEMENT, VOUS PENSIEZ ABANDONNER VOTRE ANIMAL DE COMPAGNIE AVANT DE PARTIR EN VACANCES, mais vous n'avez pas eu assez d'imagination pour trouver quoi dire aux enfants ? Sachez qu'un animal peut avoir des réactions imprévisibles comme s'agripper au visage du conducteur. Il est donc conseillé d'enfermer votre « ami » dans une cage ou un panier, de l'isoler par une barrière, ou bien de l'attacher de manière à ce que ses mouvements ne puissent pas déranger le conducteur.

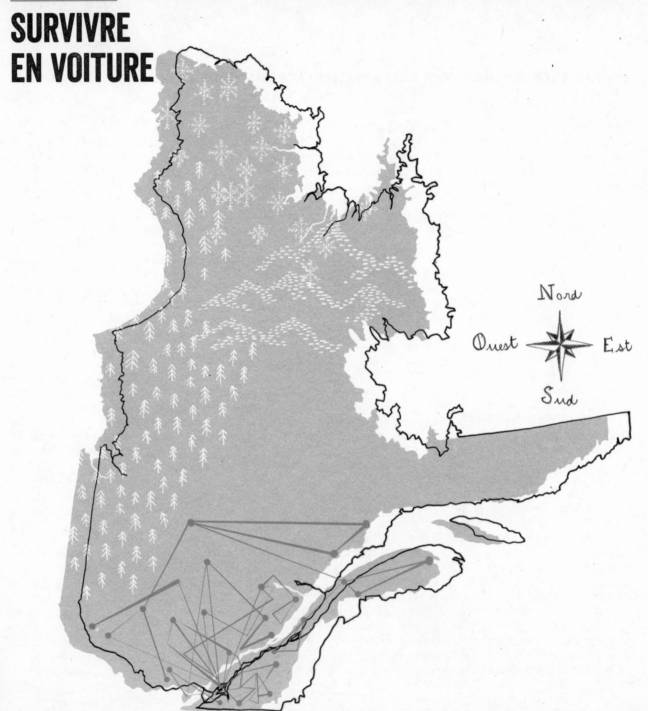

SURVIVRE
EN VOITURE

RIEN DE PIRE POUR TUER LA MAGIE DES VACANCES DÈS LE DÉBUT QU'UN LONG TRAJET EN VOITURE. IL FAIT CHAUD, LES ENFANTS CRIENT, LE CHIEN VOUS BROIE LES CUISSES EN ESSAYANT DE SORTIR SA TÊTE PAR LA FENÊTRE ET VOS PIEDS SONT COINCÉS PAR LA GLACIÈRE. QUAND, DANS L'HABITACLE, LA TENSION EST À SON COMBLE, L'ÊTRE LE PLUS SAIN D'ESPRIT PEUT SE TRANSFORMER EN FOU FURIEUX. APPLIQUEZ LES QUELQUES RECOMMANDATIONS QUI SUIVENT ET VOUS RÉUSSIREZ PEUT-ÊTRE À ÉVITER L'HÉCATOMBE.

POUR SAVOIR VIVRE, MAIS SURTOUT SURVIVRE, EN VOITURE. PARCE QU'AU CHALET, ENCORE FAUT-IL S'Y RENDRE !

MANGER. Comme tout le monde sait, manger fait oublier les problèmes et désennuie. Pour éviter de surnourrir vos enfants et de les voir vomir en jet comme dans *L'exorciste*, jouez à qui se tait le plus longtemps et récompensez le gagnant d'un peu de nourriture. Attention, manger en voiture n'est pas une activité recommandée aux jeunes enfants. Si vous êtes les heureux propriétaires de jeunes enfants, il vous faudra passer à l'activité suivante.

CHANTER. Vous avez épuisé vos stocks de nourriture ? Eh bien, chantez maintenant. Vous verrez, en situation de crise, votre cerveau vous aidera vite à retrouver dans votre mémoire des grands succès tels que *Les fourmis marchent deux par deux*.

LIRE. Pour beaucoup, par contre, la lecture (ou parler avec son conjoint) occasionne nausées et étourdissements. Prévoyez alors de la musique ou des livres audio sur votre iPod (ou mettez des bouchons et faites semblant de dormir).

ÉCOUTER DE LA MUSIQUE OU LA RADIO LOCALE. Les contenus pittoresques et le langage coloré des animateurs vous feront réaliser que vous commencez à vous éloigner de la ville. À éviter toutefois si vous conduisez et que vous vous sentez somnolent.

JOUER. Devinettes, charades, « quand je vais au marché, je mets dans mon petit panier » - rendu célèbre par Rigodon dans *Passe-Partout* -, « ni oui ni non » avec son coefficient de difficulté supplémentaire « ni blanc ni noir », compter les voitures _____ (insérer ici une couleur), etc.

REGARDER UN DVD. Si vous avez de l'argent, peu ou pas de créativité, et aucune envie d'interagir avec vos enfants, achetez-leur un lecteur DVD ou une console de jeux portative. C'est propre, efficace et l'effet dure habituellement assez longtemps.

◄ trucs et astuces

LORSQUE VOUS ABORDEZ DES SUJETS DÉLICATS, COMME LA SEXUALITÉ ET LES DANGERS DE LA DROGUE, VOS ADOLESCENTS ONT TENDANCE À S'ENFUIR ? C'EST PLUS DIFFICILE LORSQU'ON EST SUR L'AUTOROUTE. ASSUREZ-VOUS QUAND MÊME QUE LES PORTES SONT VERROUILLÉES, JUSTE AU CAS.

Recommandations au conducteur

AVANT LE DÉPART, FAITES UN PETIT MÉNAGE ET UN LÉGER NETTOYAGE DE VOTRE VÉHICULE. Vous pourrez ainsi repartir à neuf et remplir derechef votre portière de vieux mouchoirs et d'écales d'arachides. Votre pare-brise, quant à lui, pourra accueillir une nouvelle cohorte d'insectes.

ON RESPECTE LE CODE DE LA ROUTE ET ON CONDUIT PRUDEMMENT. On ne roule pas au-dessus des limites permises (ou seulement un peu au-dessus, mais pas beaucoup). On reste dans sa voie. On évite de dépasser en haut d'une côte ou en plein virage, de franchir une ligne continue. On garde ses distances avec les autres véhicules. On est attentif aux passagers craintifs, on leur sert le célèbre: « Il y a moins de morts en auto qu'en avion. » Euh... Laissez tomber, c'est l'inverse.

CONSULTEZ LA MÉTÉO ET L'ÉTAT DES ROUTES AVANT DE PARTIR. On est en novembre, vous partez, le soleil brille et la chaussée est sèche, puis tout à coup, une tempête de neige s'abat sur vous qui n'avez pas fait poser vos pneus d'hiver. Cruelle nature.

EN VOITURE, ON PEUT SE PERMETTRE L'IMPOLITESSE DE NE PAS REGARDER SON INTERLOCUTEUR DANS LES YEUX. C'est, à vrai dire, fortement recommandé en ce qui concerne le conducteur.

SI ON OUVRE TOUTE GRANDE SA FENÊTRE, on s'assure que le passager arrière ne fait pas une indigestion de mouches, ou qu'il apprécie sa nouvelle coiffure.

ON NE SE FAIT PAS PRIER POUR ARRÊTER SI UN PASSAGER A UN BESOIN PRIMAIRE.

ON NE FUME PAS DANS LA VOITURE. Vous avez demandé la permission aux non-fumeurs et ils ont répondu que ça ne les dérangeait pas? Ils mentent.

VOTRE PETITE DERNIÈRE IMITE À MERVEILLE LA VOIX DU GPS ET VOUS AVEZ PRIS LA MAUVAISE SORTIE? Gardez votre calme. N'oubliez pas: ce sont les vacances. Quelques minutes de plus ne feront pas une si grande différence, et qui sait, peut-être tomberez-vous sur une charmante clairière où vous déciderez de vous arrêter pique-niquer? Oh! Regardez le joli papillon!

ARRÊTEZ-VOUS AU MOINS 10 MINUTES TOUTES LES DEUX HEURES POUR VOUS DÉGOURDIR LES JAMBES. Après deux heures, la fatigue peut affecter la vigilance du conducteur. Gardez un ballon ou un Frisbee dans le coffre pour agrémenter votre pause à la halte routière.

SI VOUS PRENEZ PLACE À L'AVANT DU VÉHICULE, NE VOUS TOURNEZ PAS À 180 DEGRÉS POUR DISCUTER LES YEUX DANS LES YEUX AVEC LE PASSAGER DE LA BANQUETTE ARRIÈRE. Il risquerait de vous associer à son mal de cœur.

ON S'ASSURE D'ÊTRE ALLÉ AUX TOILETTES AVANT LE DÉPART. Si on ressent une envie pressante, on le dit tout de suite au conducteur en s'excusant, afin qu'il puisse trouver un endroit convenable où s'arrêter. On n'attend pas d'être dans l'urgence la plus totale. Il est très inconvenant d'avoir à se soulager au bord de la route.

SI ON DOIT ABSOLUMENT ARRÊTER SE SOULAGER EN BORDURE DE LA ROUTE, ON ESSAIE DE TROUVER UN ENDROIT À L'ABRI DES REGARDS. À DÉFAUT, ON S'INSTALLE DERRIÈRE LA PORTIÈRE. ON S'ASSURE D'URINER OU DE VOMIR DANS LE SENS DU VENT. ON SALUE D'UN PETIT SIGNE DE LA MAIN LES GROS CAMIONS QUI NOUS KLAXONNENT.

ÉVITEZ DE DISTRAIRE LE CONDUCTEUR. Pas de cris à moins que vous ne craigniez réellement pour votre vie. Des exclamations vives et impromptues du type : « Aaaahhh ! Regarde les vaches dans le champ ! » pourraient vous amener à voir ce même champ de beaucoup plus près, et ce, très rapidement.

TOUTE ODEUR ÉMANANT DE VOTRE PERSONNE NE SAURAIT ÊTRE TOLÉRÉE. Ne pouvant s'éloigner de vous, vos compagnons de route se sentiraient pris en otages. Ne comptez pas sur le syndrome de Stockholm, votre capital de sympathie s'en verra, à n'en pas douter, affecté.

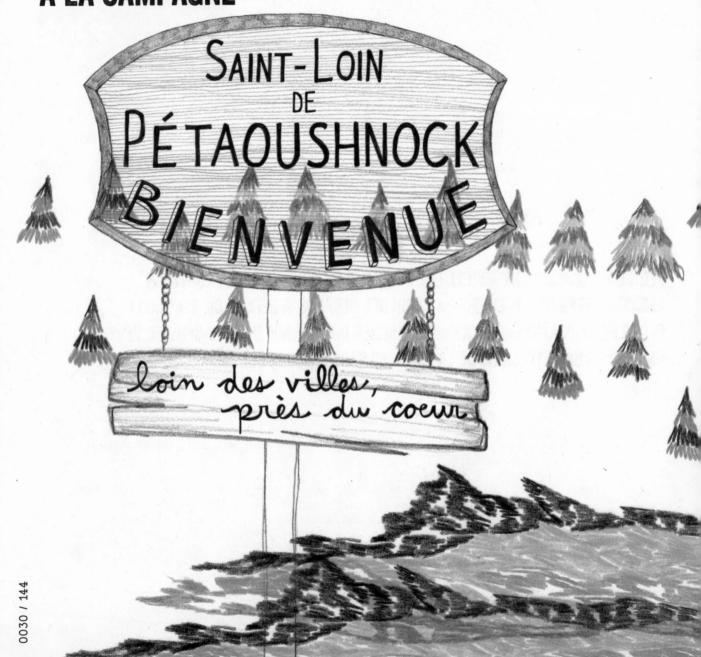

SUR LES ROUTES À TROIS CHIFFRES (132, 138, 357, ETC.), ADAPTEZ VOTRE CONDUITE AUTOMOBILE. ÔTEZ-VOUS DE L'ESPRIT LES ESSAIS ROUTIERS DE VOITURES DE LUXE. CES ROUTES PARFAITES SONT 1) EN CIRCUIT FERMÉ, 2) SÛREMENT DANS UN AUTRE PAYS.

Les voies secondaires sont moins fréquentées, c'est vrai. Mais elles sont par conséquent généralement moins bien éclairées ou déneigées. Ralentissez avant les courbes et réduisez votre vitesse si les conditions routières sont mauvaises. Également, balayez du regard les deux côtés de la route en faisant attention aux chemins, aux entrées privées ou aux traverses de véhicules tout-terrain et de motoneiges. Ces intersections cachées peuvent se transformer en surprises de taille. Se retrouver face à face avec un quatre-roues n'est pas ce que l'on appelle « une belle surprise ».

Plusieurs conducteurs, pour se sentir utiles et pour développer une complicité avec les autres automobilistes, pratiquent « l'appel de phares ». Cet acte controversé est traditionnellement effectué pour signaler au conducteur venant en sens inverse un danger imminent ou encore la présence de policiers munis d'un appareil radar. « Flasher ses lumières » pour avertir un conducteur qu'un animal est sur la voie ou que ses phares sont éteints pendant une éclipse et qu'il pleut des grenouilles est tout à fait louable. Par contre, avertir les automobilistes excédant la vitesse permise de la présence de policiers prive le gouvernement d'une précieuse source de revenus et pourrait, éventuellement, faire augmenter vos impôts. Pensez-y. Sans compter que si vous conduisez en cinglé, vous méritez largement votre contravention et vos quelques points d'inaptitude.

Au volant de votre Mini ou de votre Smart, il est normal que vous vous sentiez vulnérable et pris au piège aux côtés des pick-up et autres véhicules imposants, faune métallique que l'on retrouve le plus souvent en campagne. Cependant, gardez votre calme et abstenez-vous de klaxonner de manière hystérique ou d'invectiver le conducteur d'un véhicule d'équipement aratoire parce que celui-ci se déplace à 20 km/h dans une zone de 90. Soyez donc patient, ces curieuses machines ne font habituellement que transiter sur une courte distance : champ-grange, grange-champ, champ, grange, champ, à titre d'exemple. Si vous êtes au bord de la crise de nerfs et qu'il vous faut absolument dépasser un véhicule lent pour retrouver la paix dans votre cœur, assurez-vous qu'aucun autre véhicule n'arrive devant et mettez votre clignotant longtemps à l'avance pour prévenir de votre intention.

Soyez à l'affût. Étant habitués d'être à peu près les seuls sur la route, les locaux pourraient omettre leur clignotant. De plus, sur la rue principale, soyez empathique lorsqu'une dame vous barre le chemin en essayant de reculer perpendiculairement au trottoir. Rares sont les occasions, dans ces contrées lointaines, de pratiquer le stationnement en parallèle. Vous devrez également partager la route avec des véhicules tout-terrain et des motoneiges. Attention, la plupart de ces conducteurs ne sont pas réputés pour leur maturité, leur sobriété et leurs habitudes sécuritaires.

LES PANNEAUX JAUNES AVEC DE JOLIES PETITES BÊTES NOIRES DESSINÉES SERVENT À INDIQUER LA PRÉSENCE D'ANIMAUX. MAIS EN FAIT, LES ANIMAUX – DES IDIOTS POUR LA PLUPART – N'ONT PAS SAISI QU'ILS DEVAIENT TRAVERSER À CET ENDROIT PRÉCIS TOUT EN S'ASSURANT QU'IL N'Y A PAS DE VOITURE. ILS S'ENTÊTENT À PASSER N'IMPORTE OÙ, N'IMPORTE QUAND, QUITTE À SURGIR DEVANT VOTRE VÉHICULE.

LE DANGER EST ACCRU À L'AUBE ET AU CRÉPUSCULE. Faites attention, également, aux secteurs où la visibilité est réduite: courbes, pentes, végétation dense...

RALENTISSEZ SI VOUS APERCEVEZ DES CERVIDÉS. Ils sont rapides, nerveux et particulièrement suicidaires. Ils peuvent surgir sur la route et figer devant vos phares.

POUR AVERTIR LES CONDUCTEURS DERRIÈRE VOUS, donnez plusieurs petits coups de frein.

LES CERVIDÉS, PARTICULIÈREMENT LES CERFS, SE DÉPLACENT EN GROUPE. S'IL Y EN A UN, IL Y EN A PEUT-ÊTRE D'AUTRES QUI, SOLIDAIRES, VOUDRONT S'ÉLANCER DANS VOTRE PARE-BRISE.

NE FAITES JAMAIS DE MANŒUVRE BRUSQUE pour éviter un animal au dernier moment, vous pourriez causer un accident plus important.

SI L'IMPACT SEMBLE IMMINENT, RALENTISSEZ ET FREINEZ DE MANIÈRE PROGRESSIVE. Est-il nécessaire de préciser que la conduite préventive peut prolonger votre durée de vie, sinon celle de votre pare-brise?

POUR CEUX QUI VOUDRAIENT FAIRE DE LEUR VICTIME UN TROPHÉE DE CHASSE OU UN RAGOÛT, sachez qu'au Québec, plusieurs animaux doivent être déclarés à un agent de protection de la faune lorsqu'ils sont blessés ou morts. Dans cette liste, on trouve le bœuf musqué, le carcajou, le caribou, le cerf de Virginie, le cougar, le coyote, le loup, le lynx du Canada, le lynx roux, l'opossum d'Amérique, l'orignal, l'ours blanc, l'ours noir, le renard gris ainsi que tous les oiseaux de proie diurnes ou nocturnes.

LA COHABITATION

Ce sera les meilleures vacances
QU'ON AURA JAMAIS EUES

On prendra l'apéro
DEVANT LE FOYER

ON FERA
LES FOUS

On se couchera
À PAS D'HEURE

ON ÉCHANGERA
NOS CONJOINTS !!!

...

LE CHALET EST LE LIEU DE PRÉDILECTION POUR LES RÉUNIONS AMICALES OU FAMILIALES. « CE SERA LES MEILLEURES VACANCES QU'ON AURA JAMAIS EUES », SE DIT-ON À L'IDÉE DE PARTAGER DE BEAUX MOMENTS AVEC CEUX QU'ON AIME. « ON FERA LES FOUS, ON PRENDRA L'APÉRO DEVANT LE FOYER, ON SE COUCHERA À PAS D'HEURE, ON ÉCHANGERA NOS CONJOINTS... » QUE DE SOUVENIRS INOUBLIABLES EN PERSPECTIVE. VOICI TOUT DE MÊME QUELQUES CONSEILS DE COHABITATION AFIN D'ÉVITER LES DÉSILLUSIONS ET LES LENDEMAINS DE VEILLE DIFFICILES.

ADOPTEZ UNE ATTITUDE FLEXIBLE ET UNE BONNE HUMEUR À TOUTE ÉPREUVE. La magie des retrouvailles dans un cadre enchanteur peut vite se transformer en cauchemar après quelques jours de promiscuité et de manque de confort relatif. Partir entre amis, c'est facile. C'est de revenir entre amis qui n'est pas gagné d'avance. En partageant le chalet familial ou une location, vous apprendrez à connaître vos proches dans l'intimité. Assurément, les blagues de votre beau-frère vous paraissaient beaucoup plus drôles avant que ses ronflements ne vous fassent faire de l'insomnie.

« PARTIR ENTRE AMIS, C'EST FACILE. C'EST DE REVENIR ENTRE AMIS QUI N'EST PAS GAGNÉ D'AVANCE. »

ESSAYEZ DE RÉUNIR, AUTANT QUE POSSIBLE, DES PERSONNES QUI ONT LE MÊME STYLE DE VIE ET DES INTÉRÊTS COMMUNS. Un célibataire sans enfant qui se couche tard aura un plaisir limité à entendre crier les enfants à 7 h le matin et à se faire dire de baisser le ton à 21 h. Mais il est parfois difficile de réunir plusieurs personnes aux mêmes dates. Évitez, malgré tout, de rassembler des gens qui se connaissent peu ou pas, surtout pour de longs séjours. L'adage « Les amis de mes amis sont mes amis » est loin d'être toujours vrai. A priori, le cousin de votre ami Paul ne vous a jamais paru très sympathique, mais vous êtes prêt à réviser votre jugement pendant cette semaine au chalet que vous ne voulez, pour rien au monde, annuler. À la fin de cette semaine de cohabitation forcée, votre jugement est tout révisé... à la baisse. Il a, vous en êtes sûr, essayé de vous noyer dans le lac après que vous lui avez malencontreusement envoyé le Frisbee dans les tibias quatre fois sur cinq lancers.

SI, POUR OUVRIR LE RÉFRIGÉRATEUR, LE DIVAN-LIT NE DOIT PAS ÊTRE DÉPLIÉ, PARIONS QUE QUELQU'UN SE PRENDRA UNE CLAQUE AVANT QUE LA SEMAINE FINISSE. »

VOYEZ GRAND, LA TENSION RISQUE DE MONTER SI VOUS ÊTES À L'ÉTROIT. Méfiez-vous de la capacité d'accueil mentionnée par le propriétaire. Avec huit personnes dans un chalet de ski de 600 pi² d'une seule chambre, la semaine promet d'être longue ! Si, pour ouvrir le réfrigérateur, le divan-lit ne doit pas être déplié, parions que quelqu'un se prendra une claque avant que la semaine finisse. Dormir à plusieurs dans la même chambre quand l'un ronfle, l'un pète et l'autre a une vessie hyperactive altère assez rapidement le romantisme du séjour.

ATTRIBUEZ LES CHAMBRES ÉQUITABLEMENT. LA MÉTHODE « PREMIER ARRIVÉ, PREMIER SERVI » PEUT LAISSER UN GOÛT AMER À CERTAINS. S'il y a des différences notoires et que vous séjournez longtemps, organisez des tours. Laissez les grands lits aux couples. Pensez à mettre les enfants non loin de leurs parents, les lève-tôt plus près de la cuisine et les lève-tard à l'écart. Les plus jeunes peuvent s'accommoder du divan-lit et les plus âgés n'auront ainsi plus le loisir de se plaindre de leurs maux de dos le matin pour attirer l'attention.

SANS ÉTABLIR UN RÉGIME MILITAIRE – CE SONT LES VACANCES POUR TOUT LE MONDE, APRÈS TOUT – METTEZ QUAND MÊME AU POINT UN SEMBLANT D'ORGANISATION. Répartir les tâches et les rôles vous permettra d'éviter bien des frustrations. Si vous négligez de le faire, vous aurez assez rapidement une idée du tempérament de chacun. Le dévoué, une éponge à la main, la liste des commissions dans l'autre, aura déjà mis la table, préparé le déjeuner et le café pour les lève-tard. L'indolent, à l'inverse, s'éclipsera pour ne reparaître qu'au moment de passer à table, et repartir aussitôt en imaginant que sa vaisselle sale trouvera seule son chemin jusqu'au lave-vaisselle. Entre les deux, vous avez ceux qui s'imaginent que faire des *drinks* équivaut à préparer un souper. Partagez donc les tâches tous ensemble selon le rythme de vie et les goûts de chacun.

> **« DANS CHAQUE GROUPE SE CACHE UN ADEPTE DE LA SIMPLICITÉ VOLONTAIRE QUI NÉGOCIE RIGOUREUSEMENT CHAQUE ACHAT QU'IL JUGE SUPERFLU. C'EST LUI, À LA FIN DU SÉJOUR, QUI VEUT SE FAIRE REMBOURSER POUR UNE PARTIE DU PAPIER DE TOILETTE... »**

PLUS VOUS ÊTES NOMBREUX, PLUS VOUS DEVEZ ÊTRE ORGANISÉS. Discutez grosso modo de votre façon de concevoir l'horaire et le rythme des journées. Déjeuner du camionneur tous ensemble ou continental chacun pour soi ? Vous pourriez être déçu si vous vous démenez à préparer des œufs bénédictine et que personne ne se lève avant midi. Également, si vous êtes six de suite à vous relayer dans la douche le matin, le dernier pourra se réveiller plus rapidement que prévu au contact de l'eau glacée.

SOYEZ TRÈS CLAIR QUANT AU PARTAGE DES FRAIS. Ferez-vous une seule épicerie pour tous ? Y aura-t-il un pot commun ? Vous occuperez-vous chacun d'un repas à tour de rôle ? Qui fera l'épicerie ? À quelle fréquence ? En tous les cas, tentez de prendre en compte les préférences ou les contraintes alimentaires de chacun. Les chichis sont, par contre, malvenus. Payez votre part même si vous êtes au régime ou que vous ne mangez pas de « charcuteries-pleines-de-sulfites-cancérigènes ». Notez bien, une allergie alimentaire n'est pas un chichi. Vous gâcheriez davantage les vacances en mourant d'un choc anaphylactique qu'en privant vos compagnons de beurre d'arachides le matin.

MALGRÉ TOUT, ATTENTION À LA CAGNOTTE DANS LAQUELLE CHACUN VERSE LA MÊME SOMME QUI SERT À TOUS. Oui, en principe tout est clair et pratique, mais dans la réalité, ça se complique souvent. Dans chaque groupe se cache un adepte de la simplicité volontaire qui négocie rigoureusement chaque achat qu'il juge superflu. C'est lui, à la fin du séjour, qui veut se faire rembourser pour une partie du papier de toilette, parce que les filles en utilisent deux fois plus que les garçons. Vous avez, à l'opposé, le grand prodigue qui dépense sans compter... l'argent des autres. Il ne boit que des grands crus et veut aller chercher du foie gras directement chez le producteur : « C'est si pittoresque ! » Une méthode mixte et souple, entre collectivisme et individualisme, est donc conseillée.

Garder ses distances

PARTAGER UN TERRITOIRE DANS LA JOIE ET L'ALLÉGRESSE EXIGE QUE CHACUN DISPOSE D'UN ESPACE QUI LUI EST PROPRE. L'ANTHROPOLOGUE AMÉRICAIN EDWARD T. HALL A NOMMÉ CETTE ZONE PERSONNELLE « LA DIMENSION CACHÉE ». SELON CETTE THÉORIE :

LA DISTANCE INTIME EST DE 40 CM.

C'est la zone dans laquelle votre partenaire ou vos enfants peuvent se trouver sans que vous en ressentiez un malaise. Il en va autrement de votre patron au party de Noël du bureau.

LA DISTANCE PERSONNELLE EST DE 75 CM.

C'est la zone des rapports courants avec les autres. C'est-à-dire à peu près à la longueur du bras tendu. Si, dans une situation sociale, les gens s'approchent un peu trop, tendez votre bras et tournez rapidement sur vous-même. Voilà qui devrait les éloigner de vous. Pour longtemps.

LA DISTANCE SOCIALE EST DE 1,20 M À 2,10 M.

Ce sont les rapports impersonnels (guide touristique, patron, policiers...). N'hésitez pas à mettre vos limites si vous sentez que l'on brûle les étapes d'une relation. Le policier, par exemple, qui tente de vous remettre un billet d'infraction pour excès de vitesse n'est peut-être pas au fait de la théorie de Hall: «Arrêtez-vous, Monsieur l'agent, je ne me sens pas prête à vous laisser entrer dans ma zone personnelle.»

LA DISTANCE PUBLIQUE, ELLE, EST DE 3,60 M À 7,50 M.

À partir de cette distance, on ne se sent plus directement concerné. Vous aurez la parfaite excuse lorsque votre douce moitié vous demandera de l'aider à habiller les enfants: «C'est à moi que tu parlais, chéri(e)? À la distance où tu te trouves, je ne me sentais pas du tout concerné(e)!»

trucs et astuces

IL EST NORMAL DE SE SENTIR ENVAHI, VOIRE AGRESSÉ, CHAQUE FOIS QU'UN INTERLOCUTEUR RÉDUIT LA DISTANCE QUI CORRESPOND À LA NATURE DE LA RELATION. UN PETIT INDICE: SI, EN SORTANT VOTRE LANGUE, VOUS POUVEZ TOUCHER VOTRE INTERLOCUTEUR, VOUS ÊTES VRAIMENT TROP PRÈS.

1 Je demande toujours avant d'amener: mon conjoint, un ami, mes enfants ou mon animal de compagnie.

7 Je m'assure d'être vêtu avant de quitter ma chambre. Je ne me promène pas en maillot toute la journée.

13 Je ne laisse pas l'ambiance se détériorer. Je désamorce rapidement les conflits et je suis authentique.

2 PAR RESPECT POUR MOI ET POUR LES AUTRES, JE ME LAVE ET J'ENTRETIENS MA PILOSITÉ UN MINIMUM.

3 Je ne me mêle pas de la façon dont mes amis éduquent leurs enfants.

4 Je n'interviens pas dans les disputes conjugales.

5 Je ne chiale pas tout le temps et à propos de tout. Je me remémore mon bref passage chez les AA et je me répète tel un mantra (pendant tout le séjour s'il le faut): «Donnez-moi la sérénité d'accepter les choses que je ne puis changer, le courage de changer les choses que je peux, et la sagesse d'en connaître la différence.»

6 J'évite d'être rigide et strict. Je suis souriant et tolérant. Je comprends que la conception de la vie en commun et des limites territoriales personnelles diffèrent pour chacun.

8 Je m'efforce d'être un peu aimable le matin et je fais semblant d'écouter mon interlocuteur, même si toute ma concentration passe à tenir ma tasse de café.

9 Je demande avant d'emprunter quoi ce soit qui ne m'appartient pas. Un chalet n'est pas une commune.

10 Je juge, dans ma tête, l'habillement ou les habitudes alimentaires de mes congénères.

11 Je fais des efforts, mais je ne me sens forcé de rien.

12 Je propose des activités, sans imposer.

14 Je ne fais pas de bruit le matin. Mais on sait tous comment ça se passe: À 7 h, vous dormez tranquillement quand tout à coup, vous entendez claquer une porte d'armoire, puis deux, puis trois… Monsieur Matinal ne trouve pas le café. Bien qu'il essaie réellement de ne pas faire de bruit, vous entendez à chacun de ses pas le plancher qui grince. Ah mais, qu'est-ce que ce bruit de papier? Misère! Les filtres à café sont collés ensemble. L'eau glouglloute dans la cafetière et vous vous décidez à vous lever. «J'espère que je ne t'ai pas réveillé?» dit-il, et vous ne pouvez que lui mentir parce qu'il est sincèrement préoccupé par votre bien-être.

15 Je ne fais pas trop de bruit le soir. Avec les meilleures intentions du monde, Madame Couche-tard s'applique à être silencieuse, mais qu'il est long et semé d'embûches, le chemin qui mène à son lit. C'est qu'avec son taux d'alcoolémie considérable, elle ne parvient qu'à éviter un obstacle sur trois.

COHABITER AVEC DES ADOLESCENTS

HUMER LE DOUX PARFUM DES FLEURS, ÉCOUTER LE CHANT DES OISEAUX, SENTIR LA NEIGE CRAQUER SOUS VOS PAS OU LE SABLE COULER ENTRE VOS DOIGTS... C'EST VOTRE CONCEPTION D'UNE FIN DE SEMAINE RÉUSSIE. QU'ON SE LE DISE FRANCHEMENT, ÊTRE AU CHALET, ET QUI PLUS EST AVEC VOUS, PEUT ÊTRE PERÇU COMME UN CALVAIRE POUR L'ADOLESCENT MODERNE. QUANT À VOUS, TRAÎNER TEL UN BOULET UN ÊTRE ATONIQUE À L'AIR HAGARD ET AU REGARD FUNÈBRE PEUT METTRE UNE OMBRE À VOTRE SÉJOUR DE RÊVE. VOICI QUELQUES PISTES POUR TENTER D'ALLÉGER SON FARDEAU ET, DU MÊME COUP, LE VÔTRE.

TÂCHEZ D'ABORD D'ÊTRE EMPATHIQUE ET COMPRÉHENSIF. Comment réagiriez-vous si vous aviez plusieurs événements mondains très importants pour rehausser votre standing et élargir votre réseau de contacts, et que des gens ringards et inintéressants (c'est vous, ça) vous obligeaient à faire une retraite fermée en leur compagnie ? Exactement.

POUR VOUS FAIRE PARDONNER LE TORT QUE VOUS CAUSEZ À SA VIE SOCIALE, vous pourriez lui proposer d'inviter un ou des amis au chalet, ce qui vous permettra, par la même occasion, d'observer de plus près ses fréquentations et de les égarer dans le bois au besoin.

« RESTEZ À LEUR DISPOSITION SI L'ENVIE DE FAIRE QUELQUE CHOSE DE TANGIBLE LEUR PRENAIT SUBITEMENT. »

LES ADOS AU CHALET, EN TROIS MOTS : LAISSEZ-LES TRANQUILLES. N'organisez pas d'activités spécifiquement pour eux (piste d'hébertisme, rallyes...), car peut-être n'avez-vous pas la même conception du mot « plaisir ». Sans aucune pression, mettez-les au courant des différentes possibilités (baignade, promenade, sports...) et restez à leur disposition si l'envie de faire quelque chose de tangible leur prenait subitement.

SI L'ADOLESCENT EST SEUL DE SON ESPÈCE, vous pouvez tenter de créer, sans en avoir l'air bien sûr, des situations propices à la confidence. La pêche, la chasse, la cueillette ou les promenades sont de bons prétextes pour jaser des choses de la vie mine de rien.

SI L'ADOLESCENT EST COOPÉRATIF ET DANS DE BONNES DISPOSITIONS, vous pouvez peut-être pousser l'audace jusqu'à lui confier de petites tâches. Pourquoi ne pas le rétribuer pour jouer les gardiens d'enfants ? Une autre belle façon de pouvoir souper tranquille.

Marmotte

Cosmique

UN SENS

à la

VIE

VOUS ÊTES SEUL AU CHALET, DE TROIS CHOSES L'UNE :

 On vous a plaqué, vous cherchez un sens à la vie ou vous avez besoin de faire le point.

 Être seul est un fantasme qui hante vos pensées au même titre que lire le journal, prendre un bain et aller aux toilettes sans être dérangé (comprendre : vous fuyez vos enfants).

 Vous avez une tâche importante à réaliser : un texte à rédiger, un examen à étudier, un rapport à compléter et vous êtes sans cesse interrompu dans votre lieu de travail habituel. Vous isoler, pensez-vous, vous aidera à accomplir votre tâche.

PEU IMPORTE VOS MOTIVATIONS, ASSUREZ-VOUS AU MINIMUM QUE QUELQU'UN SAIT OÙ VOUS ÊTES, ET ÉVITEZ D'ÊTRE SEUL SI VOUS AVEZ DES PENSÉES SUICIDAIRES OU QUE VOTRE SANTÉ EST PRÉCAIRE. MAINTENANT, SI VOUS ÊTES DE NATURE EXTRÊMEMENT PRUDENTE, MANGEZ MOU, PARCE QUE PERSONNE NE POURRA VENIR VOUS SECOURIR EN CAS D'ÉTOUFFEMENT.

JE SUIS SEUL AU CHALET, DOIS-JE M'ÉPILER/ME RASER ?

Ceux qui ressentent le besoin de faire une jachère à l'occasion ne devraient pas s'en priver. Sachez, par contre, qu'il est temps de faire les foins lorsque vous pouvez faire des bracelets d'amitié dans votre toison pubienne et tirer des autobus avec vos cheveux.

SE LAVER EST-IL OBLIGATOIRE ? Oui. Un minimum pour

éviter la prolifération des microbes et la dépression. Malade, sale, seul, le cheveu gras et l'âme en peine ; voilà un bien triste spectacle. Une bonne ablution d'eau froide au visage, un savonnage du postérieur et des parties génitales constituent la base. Parce qu'une culotte propre sur des fesses sales, ça s'annule. Et *vice versa*.

EST-CE CONVENABLE DE ME PROMENER NU ? Êtes-vous

croyant ? Avez-vous de proches voisins ou attendez-vous de la visite ? Si la réponse est non, pourquoi pas ? Vous êtes seul avec vous-même. Évitez, par contre, d'utiliser la cuisinière lorsque vous êtes nu. De la sauce à spaghetti brûlante peut faire bien des dommages à votre épiderme découvert. Bien que sans danger, manger nu et se retrouver avec des miettes dans le poil peut être désagréable. De même, assurez-vous que l'environnement est sans danger et prenez garde où vous posez les fesses. Un accident est si vite arrivé.

trucs et astuces

VOUS ÉCHAPPER DE VOTRE MILIEU DE VIE EST DIFFICILE ? VOICI QUELQUES ASTUCES QUI POURRAIENT VOUS AIDER. PRÉTEXTEZ AVOIR QUELQUES TRAVAUX D'ENTRETIEN À EFFECTUER AU CHALET : VIDER LA FOSSE SEPTIQUE, SORTIR LE QUAI DE L'EAU, DÉNEIGER LE TOIT, SANS COMPTER OUVRIR OU FERMER LE CHALET. OUI, DISONS-LE, LES HOMMES SEMBLENT AVOIR UNE LONGUEUR D'AVANCE DANS CE DOMAINE. MESDAMES, NE SOYEZ DONC PAS DUPES. SORTIR UN QUAI DE L'EAU, ÇA NE PREND PAS TROIS JOURS.

Suggestions d'activités

FAIRE DU POT-POURRI MAISON. Parce que ça sent bon et que vos cadeaux d'hôtes seront prêts pour la saison des fêtes.

TRICOTER. Le tricot permet de se tenir occupé tout en ayant l'esprit ailleurs et en accomplissant quelque chose de tangible.

VISIONNER L'INTÉGRALE DES *FILLES DE CALEB* et de *La petite maison dans la prairie*. Personne ne vous jugera quand vous reculerez (pour la troisième fois) la fameuse scène du cheval.

ESSAYER DE LIRE *Crime et châtiment* pour la quatrième fois.

FABRIQUER UNE PIPE EN BLÉ D'INDE. Vous n'avez jamais fumé? C'est le temps de commencer.

APPRENDRE LA GUITARE. Surtout si vous êtes encore célibataire, de grâce, profitez de ce moment de solitude pour ajouter une corde à votre arc.

PRATIQUER UNE CHORÉGRAPHIE sur votre chanson préférée. Imaginez au prochain party... la chanson part et vous, vous commencez à danser comme vous n'avez jamais dansé. Comme dans un film! Et peut-être même qu'un producteur d'Hollywood vous repérera et...

FAIRE UN ARBRE GÉNÉALOGIQUE. Ça vous donnera aussi une excuse pour téléphoner à des membres de votre famille à qui vous n'avez pas parlé depuis longtemps.

REVOIR LES CLASSIQUES DE L'ORIGAMI. Du papier, des doigts... et la magie opère!

S'ÉLANCER DANS LA NEIGE EN CRIANT, c'est libérateur.

DÉCOUVRIR LA NATURE AUTOUR DU CHALET. Faites un herbier, une fourmilière dans un pot Mason, allez cueillir des petits fruits, prenez du soleil, écoutez les bruits de la nature... Tout prend un autre sens quand on est seul.

trucs et astuces

SI VOUS AVEZ UNE TÂCHE PRÉCISE À ACCOMPLIR, ARRANGEZ-VOUS POUR ÊTRE AUTOSUFFISANT. PRÉVOYEZ NOURRITURE, JOURNAUX, CAFÉ, CIGARETTES OU AUTRES DROGUES. VOUS N'AUREZ AUCUNE RAISON DE PERDRE VOTRE TEMPS À VOUS RENDRE AU VILLAGE. LORSQUE VOUS DÉCIDEZ DE VOUS Y METTRE, DÉBRANCHEZ TOUT (INTERNET, TÉLÉPHONE, ETC.). ALLEZ AUX TOILETTES, MANGEZ UN PETIT EN-CAS, RANGEZ UN PEU ET PRÉVOYEZ UN VERRE D'EAU. NE VOUS LAISSEZ AUCUNE CHANCE. DONNEZ-VOUS À L'AVANCE UN OBJECTIF RÉALISTE: « J'ÉTUDIE/JE TRAVAILLE PENDANT 1 H 30 MIN SANS INTERRUPTION À PARTIR DE 9 H 30. » À L'HEURE H, AYEZ TOUT LE MATÉRIEL NÉCESSAIRE EN MAIN ET VIDEZ VOTRE ESPACE DE TRAVAIL DE TOUT CE QUI POURRAIT VOUS DISTRAIRE. LORSQU'ON S'ASSOIT, ON NE SE RELÈVE PAS. VOUS VOUS ÊTES LEVÉ PARCE QUE VOUS CROYIEZ AVOIR APERÇU UN GRAND HÉRON? VOUS AVEZ ÉCHOUÉ. SI VOUS AVEZ BIEN TRAVAILLÉ, RÉCOMPENSEZ-VOUS: NOURRITURE, TÉLÉ, TÉLÉPHONE, INTERNET... BREF, FAITES-VOUS PLAISIR.

Il est temps de revenir à la civilisation...

oui	non	
☐	☐	J'ENTENDS DES VOIX ET JE PARLE À MON BALLON.
☐	☐	JE PENSE À LAISSER MON TRAVAIL POUR ÉCRIRE DE LA POÉSIE.
☐	☐	J'AI EMBRASSÉ UN ARBRE ET IL M'A RENDU MON BAISER.
☐	☐	JE NE ME SOUVIENS PLUS DE MON NOM, JE ME SUIS REBAPTISÉ « MARMOTTE COSMIQUE ».
☐	☐	J'AI ADOPTÉ UN ÉCUREUIL.
☐	☐	JE ME SUIS FAIT DES RAQUETTES EN FABRIQUANT MA PROPRE BABICHE.
☐	☐	JE BRÛLE LES MEUBLES, CAR JE N'AI PLUS DE BOIS DE CHAUFFAGE.
☐	☐	JE DÉTERRE DES RACINES ET JE MANGE DES PETITS ANIMAUX.
☐	☐	J'AI ESSAYÉ DE FUMER DE L'ÉCORCE DE BOULEAU.
☐	☐	JE N'AI PLUS AUCUN VÊTEMENT PROPRE, MAIS JE ME SUIS CONFECTIONNÉ UNE JOLIE TOGE AVEC LES RIDEAUX.
☐	☐	JE COMMENCE À VOIR DES SIGNES DANS LES VOLS D'OISEAUX.
☐	☐	JE ME SUIS INVENTÉ MON PROPRE LANGAGE POUR COMMUNIQUER AVEC LA NATURE.

CHEZ L'EAU CLAIRE DE LA LUNE

Eau-Dile & Charl-Eau

IL PEUT ÊTRE TRÈS AGRÉABLE ET PRATIQUE D'AVOIR DES VOISINS AUTOUR DE SON CHALET, AUTANT QU'IL PEUT ÊTRE TRÈS ENNUYEUX ET CONTRARIANT... D'AVOIR DES VOISINS AUTOUR DE SON CHALET. IL FAUT À LA FOIS BEAUCOUP DE COURTOISIE ET ASSEZ DE DISTANCE POUR QUE LA COOPÉRATION ET LA FRANCHE CAMARADERIE NE DEVIENNENT PAS ENVAHISSEMENT ET SOLLICITATIONS PERPÉTUELLES. EN EFFET, POUVOIR CONFIER LA CLÉ DU CHALET AU VOISIN, C'EST BIEN. LE SURPRENDRE NU DANS LE SPA, AVEC VOTRE CONJOINT(E), EST UN BRIN PLUS AGAÇANT. HABITUELLEMENT, ON SE REND AU CHALET POUR AVOIR LA PAIX. VOICI QUELQUES CONSEILS POUR LA MAINTENIR.

1 Trouver un habitat et un type de voisin qui cadre avec votre personnalité et votre mode de vie vous assurera le bien-être que vous méritez.

2 Avant de faire l'acquisition d'un chalet, examinez les alentours; ils vous donneront quelques indications sur le type de voisinage auquel vous avez affaire.

3 On choisit ses amis, mais on ne choisit pas ses voisins, dit-on. Par contre, la dimension du terrain et la densité de la végétation auront certainement un effet sur le type de rapport que vous entretiendrez avec ces derniers.

4 Vous visitez un chalet en bordure d'un lac par un beau lundi ensoleillé? Le lac est un miroir et vous n'entendez que le vent dans les feuilles et les oiseaux qui cuicuitent? Avant de signer l'acte de vente, assurez-vous que le lac ne sera pas envahi par les bateaux à moteur la fin de semaine venue.

Vous avez choisi votre habitat avec succès. Bravo! Malgré l'isolement relatif de votre chalet, les occasions de croiser vos voisins peuvent être nombreuses: vous allez porter les poubelles et le recyclage au chemin et en voilà un qui vous tient gentiment le couvercle de la boîte. Vous allez chercher votre courrier et vous sentez une présence derrière vous, c'est probablement lui. Et elle, qui fait des aller-retour en pédalo lorsque vous pêchez tranquillement au bout du quai...

Quand vous rencontrez vos voisins pour la première fois, présentez-vous et échangez quelques mots du style: « Bonjour, je suis Marie Machin, je viens d'acheter/ de louer le chalet bleu au bout du chemin Bordeleau. Mon mari, nos deux enfants et moi y passerons nos fins de semaine. Désolée pour le va-et-vient des derniers jours. Au plaisir! » Si vous désirez garder une certaine quiétude, n'en faites pas trop. Vous ne savez pas à qui vous avez affaire. De même, si un nouveau voisin emménage, attendez de le croiser pour vous présenter. Arriver chez lui avec un bouquet de fleurs des champs et une tarte aux pommes pourrait le brusquer. Maintenir une relation cordiale avec vos voisins sans pour autant en faire vos meilleurs amis vous permettra de gérer d'éventuels problèmes plus facilement sans avoir peur de les froisser. De même, vous ne serez jamais obligé d'arriver à votre chalet de nuit, tous phares éteints pour éviter une énième invitation à souper. Si vous ne cherchez pas à vous faire des amis, n'agissez pas comme tel. Pour ce faire, gardez vos voisins à une distance physique appropriée (voir la théorie de Hall p. 38). Si vous souhaitez que la relation demeure plutôt impersonnelle, essayez de conserver au moins 1 ou 2 mètres entre vous et votre interlocuteur. Pour éviter un éventuel rapprochement non désiré, mais profiter néanmoins d'échanges harmonieux, ayez des conversations brèves, légères et non engageantes.

L'art de la petite conversation

LA TEMPÉRATURE EST TOUJOURS UN SUJET INTÉRESSANT ET D'ACTUALITÉ. La nature, en général, nourrit bien une conversation de campagne: la beauté des paysages d'automne, l'hiver qui s'en vient, la quantité de neige tombée (dans le temps, il y en avait beaucoup plus, bien sûr). Mais, plus que tout, vous ne serez plus jamais pris au dépourvu si vous gardez dans votre manche quelques phrases préfabriquées telles que: « Pas chaud, aujourd'hui! », « Il va pleuvoir, les oiseaux volent bas », « Y fait-tu assez beau à votre goût?! », « Beau temps pour étendre! » Le temps qu'il fait est par ailleurs la parfaite excuse pour s'échapper d'une conversation: « Pas chaud, pas chaud, j'vais rentrer me chercher une petite laine! », « Je pense qu'il va pleuvoir, je vais aller enlever mon linge de sur la corde », « Je suis en train de brûler, je vais aller me crémer. »

LE SPORT CONSTITUE HABITUELLEMENT UN SUJET ASSEZ PEU RISQUÉ. Prenez garde, toutefois, aux fanatiques qui peuvent prendre tout commentaire contre leur équipe très personnel. Soyez avisé également que discuter de sport avec votre voisin peut vous valoir une invitation à regarder le match.

ATTENTION, PARLER DES AUTRES VOISINS PEUT ÊTRE DÉLICAT. Sachez faire la différence entre information et médisance. Pour savoir si on est en train de parler dans le dos de quelqu'un, on se demande: « Est-ce que je dirais la même chose si cette personne était là? » Et pour les plus mégalomanes: « Si mes propos étaient cités dans le journal, serais-je à l'aise? » Si la réponse est oui, allez-y gaiement. Parler d'autrui est une mine d'or pour les conversations légères et non engageantes: Éric qui s'est acheté un quatre-roues, les Bourque qui viennent de faire vider la fausse septique, madame Guilbault qui a pêché un brochet avant-hier, tel chalet qui est en vente...

LES ENFANTS, LES MOUSTIQUES ET TOUTE AUTRE PETITE BESTIOLE SONT AUSSI UNE BONNE SOURCE DE COMMENTAIRES ANODINS: « Heille, j'te dis que ça pousse comme de la mauvaise herbe, ce petit-là! Quand est-ce qu'il commence l'école? », « Restez pas dehors trop tard, vous allez vous faire manger tout rond! », « J'ai vu un chevreuil dans le chemin hier matin... de toute beauté, monsieur! »

SI LA CONVERSATION GLISSE SUR UN SUJET SENSIBLE (RELIGION, MORALE, POLITIQUE, IMMIGRATION, ÉDUCATION DES ENFANTS, DÉBOIRES MATRIMONIAUX, ETC.), tâchez d'éviter d'émettre un jugement si vous êtes en désaccord et changez de sujet rapidement: « Excusez-moi, je change de sujet, mais je regarde ces oiseaux et je me demande si c'est vrai que les oiseaux se cachent pour mourir? » En désespoir de cause, feignez un malaise ou une envie pressante et enfuyez-vous. Ne voyez pas la conversation de voisinage comme un exercice profondément authentique. Le but de l'échange est avant tout de conserver des rapports harmonieux et ainsi de ne pas avoir à sauter dans le fossé à l'approche des voisins.

algré toutes vos précautions pour garder les voisins à une certaine distance, vous vous sentez comme une cuillère brillante dans un banc de perchaudes? Les gens ont envie de se rapprocher de vous, mais ce n'est pas réciproque? C'est souvent ce qui arrive quand on n'a pas de tare physique évidente et qu'on est d'un naturel un tant soit peu sympathique. D'abord, paraissez touché de l'invitation et remerciez votre interlocuteur. Si vous vous sentez pris au dépourvu, rien ne vous oblige à donner une réponse immédiatement: « Merci pour l'invitation, j'en parle à ma blonde/mon chum et je vous reviens là-dessus. » Voilà qui vous donne le temps de trouver une excuse valable. Idéalement, évitez les mensonges qui pourraient vous mettre dans l'embarras. Si votre chien est mort, il pourra difficilement revenir à la vie sans éveiller quelques soupçons. Dites la vérité de façon diplomate, mais soyez vague quant au quand d'une éventuelle rencontre.

Prendre l'apéro? « C'est gentil, merci de l'invitation, peut-être une autre fois… », vous/votre famille êtes très occupé/fatigué/un peu malade, etc. De toute façon, ces temps-ci, vous ne seriez pas de bonne compagnie, n'est-ce pas? Vos enfants sont l'enfer, ils ne sont pas sortables, peut-être dans quelques années [rire sympathique]. Ou encore, vous avez tout simplement prévu une petite soirée tranquille. Mais, théoriquement, à moins d'avoir une raison en béton armé, le mieux reste de ne pas donner d'excuse du tout. Essayez d'y aller le plus simplement possible en disant par exemple: « Désolé, ce soir ce n'est pas possible, mais merci beaucoup pour l'invitation! » Rares sont les gens, surtout s'ils ne sont pas très proches de vous, qui vont risquer un « Pourquoi? » Une personne sensible et bien élevée saura ne pas insister et attendra que ce soit vous qui relanciez l'invitation si vous le désirez.

> **LES GENS ONT ENVIE DE SE RAPPROCHER DE VOUS, MAIS CE N'EST PAS RÉCIPROQUE? C'EST SOUVENT CE QUI ARRIVE QUAND ON N'A PAS DE TARE PHYSIQUE ÉVIDENTE ET QU'ON EST D'UN NATUREL UN TANT SOIT PEU SYMPATHIQUE.**

trucs et astuces

POUR ÊTRE CERTAIN D'AVOIR LA PAIX, ESSAYEZ DE PARAÎTRE MOINS BRILLANT ET ATTIRANT (MÊME SI C'EST TRÈS DIFFICILE). NE NOURRISSEZ PAS NON PLUS LES RELATIONS NON DÉSIRÉES (MÊME SI CELA FLATTE VOTRE ÉGO). SOYEZ PASSIF, NE RELANCEZ JAMAIS LA CONVERSATION ET FAITES DE TRÈS COURTES RÉPONSES. RESTEZ GENTIL ET COURTOIS, MAIS NE VOUS ATTARDEZ PAS POUR DISCUTER LONGUEMENT. ET POUR ÊTRE CERTAIN D'AVOIR LA PAIX POUR TOUJOURS, PASSEZ UN COMMENTAIRE DÉSOBLIGEANT SUR LA PROGÉNITURE DE VOTRE INTERLOCUTEUR, DU GENRE: « ÊTES-VOUS ALLÉ CONSULTER POUR VOTRE PETITE DERNIÈRE? VOUS DEVRIEZ ALLER CHERCHER UN DIAGNOSTIC AVANT QU'ELLE ENTRE À L'ÉCOLE. » À L'INVERSE, SI C'EST À VOUS QU'ON RÉPOND PAR MONOSYLLABES, AYEZ LA SENSIBILITÉ DE COMPRENDRE LE MESSAGE ET DE CLORE L'ENTRETIEN AU PLUS VITE.

PROBLÈMES DE VOISINAGE

CHEZ L'EAU CLAIRE DE LA LUNE

Eau-Dile & Charl-Eau

UNE MAUVAISE RELATION AVEC VOS VOISINS PEUT RÉELLEMENT VOUS EMPOISONNER LA VIE ET METTRE UNE TRÈS MAUVAISE AMBIANCE DANS VOS VACANCES. VOTRE VOISIN EST DÉRANGEANT ? C'EST DÉSAGRÉABLE, CERTES. MAIS DEMANDEZ-VOUS D'ABORD SI LA SITUATION EST ACCEPTABLE OU FRANCHEMENT INSUPPORTABLE. EST-CE UN ENNUI NORMAL OU ANORMAL ? ON PEUT CONSIDÉRER LE DÉRANGEMENT COMME ÉTANT ANORMAL LORSQUE CELUI-CI NOUS PARAÎT EXCESSIF. LE PROBLÈME EST DONC SUBJECTIF. IL EST FONCTION DE NOTRE DEGRÉ DE TOLÉRANCE. ATTENTION ! MÊME SI UNE FAUTE EST COMMISE OU QU'UN RÈGLEMENT QUELCONQUE N'A PAS ÉTÉ RESPECTÉ, IL NE S'AGIT PAS FORCÉMENT D'UN DÉRANGEMENT ANORMAL. JUGEMENT ET TOLÉRANCE DE VOTRE PART VOUS ÉVITERONT MOULT TENSIONS ET CONFRONTATIONS INUTILES. TROUVEZ LA SAGESSE DE FAIRE LA DIFFÉRENCE. MON VOISIN PASSE LA TONDEUSE UN DIMANCHE MATIN ? DÉPLAISANT, MAIS NORMAL. IL PASSE LA TONDEUSE TOUS LES JOURS DE L'ÉTÉ AUX AURORES ? ANORMAL.

MALGRÉ VOTRE TOLÉRANCE ET VOTRE COMPRÉHENSION LÉGENDAIRES, LA SITUATION DEVIENT FRANCHEMENT PROBLÉMATIQUE ? Il est temps d'aller dialoguer avec votre charmant voisin. N'attendez pas, cependant, d'être à bout. Mis à part le tapage soudain (travaux, fêtes, etc.) qui demande une action rapide, les tensions entre voisins se mettent souvent en place de manière graduelle.

« PAS DE VIOLENCE, C'EST LES VACANCES ! »

LORSQUE VOUS IREZ RENCONTRER LE VOISIN FAUTIF, NE PRENEZ PAS UN AIR MENAÇANT et évitez les comportements impulsifs ou agressifs. Pas de violence, c'est les vacances ! Tenez pour acquis qu'il n'avait pas l'intention de vous nuire, même si vous en doutez. Exposez-lui les faits simplement et de façon objective. Vous pouvez l'inviter chez vous pour qu'il constate, par lui-même, les ennuis qu'il vous occasionne. L'idéal est de convenir ensemble d'une solution ou d'un compromis acceptable.

EN DÉPIT DE VOTRE INTERVENTION DIPLOMATE ET MATURE, LE PROBLÈME PERSISTE ? Ledit voisin est carrément de mauvaise foi ? Évitez de vous faire justice vous-même en prenant la voie de la confrontation ou de la vengeance. Vous risqueriez de faire dégénérer la situation en conflit et de vous empoisonner la vie.

SI APRÈS QUELQUES INTERVENTIONS DE VOTRE PART, LA VOIE AMIABLE S'AVÈRE INFRUCTUEUSE, PRENEZ DES MESURES PLUS OFFICIELLES : envoyez-lui une lettre rappelant les faits et vos discussions, mentionnez le problème à votre association de propriétaires s'il y a lieu ou à la municipalité...

EN DERNIER RECOURS, ENTAMEZ DES PROCÉDURES LÉGALES. Sachez, toutefois, que d'aller devant les tribunaux peut s'avérer une aventure longue, pénible et coûteuse. Calculez-en bien les coûts et bénéfices.

Comment éviter les ennuis

D'ABORD, ÉVITEZ VOUS-MÊME D'ÊTRE UN ÉLÉMENT DÉRANGEANT. VOICI QUELQUES CONSEILS POUR ÊTRE UN VOISIN MODÈLE.

ENFANTS OU ANIMAUX. Gardez toutes vos petites bêtes chez vous et, dans les endroits communs, empêchez-les de faire du grabuge. Ne laissez jamais vos enfants ou vos animaux errer ou faire leurs besoins sur le terrain des voisins.

LES ODEURS. Évitez tout ce qui peut provoquer des émanations dérangeantes. Maintenez en bon état vos égouts et votre fosse septique. Si vous faites un feu, évitez d'y mettre des matières dangereuses ou malodorantes, tels des pneus.

DÉLIMITATION DU TERRAIN ET DROIT DE PASSAGE. Votre voisin passe sur votre terrain pour aller mettre son bateau à l'eau? Avant de vous énerver, informez-vous. Peut-être est-il dans son droit. Vous détestez votre voisin et êtes déterminé à monter une barricade? Avant d'édifier un mur de 10 mètres, assurez-vous que la clôture vous appartient et tenez compte des normes établies par la municipalité. Si la clôture est érigée sur la ligne séparatrice, vous et votre voisin en êtes également propriétaires. Vous devrez, dans ce cas, partager les frais de construction, d'installation et d'entretien. Aucun changement ne peut être apporté sans l'accord des deux parties.

SI VOUS ÊTES DANS UNE ASSOCIATION DE PROPRIÉTAIRES, respectez les règlements, assistez aux réunions et payez vos factures. Ne réglez pas vos comptes en dehors des rencontres. Votre tranquillité d'esprit sera proportionnelle à votre transparence et votre diplomatie.

RÉCIPROCITÉ DES SERVICES. Ne demandez des services que lorsque vous ne pouvez faire autrement, et rendez toujours la pareille.

VÉGÉTATION. Avant de planter certains végétaux, consultez la réglementation municipale, qui prévoit sans doute une distance minimale de la ligne de démarcation entre deux propriétés. Abstenez-vous également de faire pousser ce qui pourrait nuire à vos voisins, en les privant d'ensoleillement, par exemple. À l'inverse, n'effectuez pas de travaux sur ce qui ne vous appartient pas, même si la haie du voisin dépasse de votre côté et menace de vous attaquer.

« S'ILS ONT DES PRATIQUES SEXUELLES BIZARRES OU CONSOMMENT DES SUBSTANCES ILLICITES, MAIS QUE POUR CONSTATER LA CHOSE, VOUS AVEZ DÛ PRENDRE LE SENTIER DERRIÈRE CHEZ EUX ET MONTER SUR LES ÉPAULES DE VOTRE CONJOINT, LUI-MÊME SUR LA POINTE DES PIEDS : HONTE À VOUS ! MAIS, TANT QU'À Y ÊTRE, PROFITEZ-EN POUR PRENDRE DES NOTES, CAR VOTRE VIE A PROBABLEMENT BESOIN D'UN PEU DE PIQUANT. »

RESPECTEZ LE DROIT À LA VIE PRIVÉE. Vos voisins ont une « zone d'activité » qui leur est propre et qu'ils ont le droit d'interdire à autrui. S'ils ont des pratiques sexuelles bizarres ou consomment des substances illicites, mais que pour constater la chose, vous avez dû prendre le sentier derrière chez eux et monter sur les épaules de votre conjoint, lui-même sur la pointe des pieds : honte à vous ! Mais, tant qu'à y être, profitez-en pour prendre des notes, car votre vie a probablement besoin d'un peu de piquant. À retenir ? À moins que vous ne soupçonniez le voisin d'abuser d'enfants immigrants illégaux prisonniers dans son sous-sol, mêlez-vous de vos affaires. N'épiez pas vos voisins et assurez-vous que votre chalet ne comporte pas de portes ou de fenêtres avec une vue illégale. De même, conservez autant que possible la végétation qui préserve l'intimité.

LE BRUIT. Épargnez les oreilles de vos voisins. Être dérangé par du bruit reste une notion assez subjective. Seule certitude : celui produit par les autres est toujours pire. Contrairement à la croyance populaire, il n'y a pas d'heure avant laquelle on peut faire du bruit et après laquelle on ne peut pas. Aucun bruit ne doit par sa durée, sa répétition ou son intensité, troubler la tranquillité du voisinage. Que ce bruit provienne d'une chose, d'une personne, d'un animal ou d'un mélange des trois, qu'il soit diurne ou nocturne, il y a un niveau sonore maximal prévu par la loi. Si vous effectuez des travaux, faites une fête et avez beaucoup d'invités (plus de voitures et de va-et-vient qu'à l'habitude), avertissez vos voisins. Prévenez-les de la durée et de la nature des bruits auxquels ils doivent s'attendre et excusez-vous à l'avance. Un bruit annoncé est à moitié pardonné. Vous pensez avoir dépassé les bornes ? Des fleurs et une bonne bouteille de vin aideront peut-être à vous faire pardonner.

Saint-Loin-de-Pétaoushnock

Magasin Général

Club Vidéo
DVD / VHS / BETA

Rivière aux Quenouilles

Brasserie Léo
Bienvenue aux dames

Chez Intense Coiffure

SI VOUS N'HABITEZ PAS UN VILLAGE DE CONDOS PASTEL DONT LE CENTRE EST PARCOURU PAR UN REMONTE-PENTE, IL EST POSSIBLE QUE VOS VOISINS SOIENT DES GENS DE LA PLACE. AUTREMENT, IL PEUT ÊTRE LÉGITIME, VOIRE NÉCESSAIRE DE VISITER LA VRAIE AGGLOMÉRATION RURALE JOUXTANT VOTRE RÉSIDENCE SECONDAIRE.

SACHEZ RECONNAÎTRE LES SIGNES QUI NE TROMPENT PAS. Un petit tour au village s'impose quand: les grands espaces commencent à vous donner le vertige, votre bronzage a atteint la teinte « mite de baseball », vous avez appris par cœur vos revues à potins et le cahier des sports, vos réserves d'alcool sont épuisées.

UNE FOIS AU VILLAGE, CE N'EST PAS PARCE QUE PERSONNE NE VOUS CONNAÎT QUE VOUS POUVEZ VOUS COMPORTER EN GROS JAMBON. Pas plus qu'en touriste à la découverte d'une civilisation perdue. Aussi exotique que vous paraisse votre périple, ne portez pas votre sac à dos sur le ventre (avez-vous réellement besoin d'un sac à dos?) et évitez les habits de randonnée comme pour aller dans un parc naturel très sauvage. Soyez les dignes représentants de votre race d'urbains et ne nous faites pas honte. Pensez à la réputation que vous faites aux générations futures. En deux mots: calmez-vous. Ne dérangez pas l'ordre établi et composez avec la réalité de l'endroit. Vous êtes en vacances, pas eux. C'est leur milieu de vie. Ce que vous trouvez si pittoresque ou drolatique, c'est leur quotidien. Ayez une attitude simple, relaxe et sympathique.

NE DÉVISAGEZ PAS LES GENS et ne passez pas non plus de commentaires à haute voix (attendez d'être de retour au chalet). Et ne prenez personne en photo sous prétexte qu'elle est typique.

NE FAITES PAS RÉPÉTER DES MOTS OU DES EXPRESSIONS, « PARCE QUE C'EST TROP DRÔLE, TON ACCENT ». Vous aussi, vous avez un drôle d'accent. Si vous demandez votre chemin ou voulez interpeler un passant, évitez les expressions condescendantes et moyenâgeuses de type « mon brave » ou « l'ami ».

SUR UNE TERRASSE OU DANS UN BAR, COMMANDEZ POLIMENT. Articulez: « S'il vous plaît ! » ou « Excusez-moi ! » et non « Heille ! » ou « Le gros ! » Laissez un pourboire décent et ne faites pas de crise parce qu'il n'y a pas de connexion Wi-Fi.

trucs et astuces

RELAXEZ. C'EST BIEN CONNU, LES GENS SONT MOINS STRESSÉS EN MILIEU RURAL. IL Y A UNE BEAUCOUP PLUS GRANDE PRÉVALENCE D'ANXIÉTÉ ET DE MALADIES MENTALES CHEZ LES GENS NÉS EN VILLE QUE CHEZ CEUX NÉS À LA CAMPAGNE.

K-WAY

VIEUX
mou
chaud

VIEUX, MOU, CHAUD... MON'ONCLE FERNAND ? NON, VOTRE CHANDAIL DE CHALET PRÉFÉRÉ, BIEN SÛR ! CON-FOR-TA-BLE, VOILÀ LE MOT D'ORDRE DE LA TENUE DE CHALET. LES MODES PASSENT VITE, MAIS LE CHALET RESTE ET CONSTITUE UNE OCCASION EN OR DE DONNER UNE SECONDE VIE À TOUS CES VÊTEMENTS INJUSTEMENT OUBLIÉS DANS LE FOND DE VOTRE PLACARD.

LES CROCS. Les Crocs peuvent être utilisés si le fond du lac est inhospitalier, mais pas comme sandales ou comme pantoufles.

LES K-WAY. Si le temps est incertain, le K-Way est votre meilleur allié. Il se déploie aisément pour vous protéger des intempéries et se range facilement dans sa petite pochette le beau temps revenu. Pour un style plus actuel, portez-le en bandoulière plutôt qu'autour de la taille.

LES CHANDAILS DE LAINE À MOTIFS ALPINS. Ils sont de bon ton pour les promenades par temps frisquet ou encore pour veiller devant le foyer.

LES PANTALONS DE JOGGING. Au bureau: non. Au resto: non. Au chalet: OUI ! Feu vert à tout ce qui est ouaté, moelleux et douillet.

FAITES RENAÎTRE LE PONCHO DE SES CENDRES. Arborez-le fièrement le soir autour du feu. À la fois distingué et relaxe, si en plus vous y ajoutez un chapeau de cowboy et une cigarette (mais n'inhalez surtout pas), vous aurez l'air de Clint Eastwood dans les belles années des westerns spaghettis.

CHAPEAUX DE PAILLE OU DE COWBOY. Vous n'aurez aucun mal à les assumer au chalet. Très pratiques pour se protéger du soleil, ils seront le point d'orgue de votre look estival.

LES PARÉOS. Vêtement polyvalent s'il en est un, le paréo pourrait remplacer une grande partie de votre garde-robe estivale, mesdames: jupe, robe, châle, foulard, chapeau, serviette de plage, nappe, parasol... Son usage n'a de limite que votre imagination.

trucs et astuces

DEPUIS LONGTEMPS PORTÉE PAR LES ENFANTS, LES FEMMES ENCEINTES, LES GARAGISTES OU LES CAMIONNEURS, LA SALOPETTE EST UN VÊTEMENT RÉSISTANT ET POLYVALENT, FORT SYMPATHIQUE POUR LE CHALET. MAIS ATTENTION, SI VOUS VOULEZ AVOIR LA CLASSE DE DEMI MOORE DANS SA PRIME JEUNESSE, SOYEZ AVISÉ QUE PORTER LA SALOPETTE EST UN ART SUBTIL ET DÉLICAT. EN PREMIER LIEU, NE METTEZ JAMAIS UN CHANDAIL BOUFFANT SOUS VOTRE SALOPETTE. PRIVILÉGIEZ UN T-SHIRT CINTRÉ OU UNE CAMISOLE. DE PLUS, LA SALOPETTE N'ÉTANT HABITUELLEMENT PAS TRÈS AJUSTÉE AU NIVEAU DU POSTÉRIEUR, IL VOUS EST DÉCONSEILLÉ D'ENFILER UN CHANDAIL À MANCHES LONGUES PAR-DESSUS, CE QUI VOUS DONNERAIT L'APPARENCE INFORME D'UN SAC DE PATATES. EN OUTRE, LA SALOPETTE N'ÉTANT PAS UN VÊTEMENT TRÈS DÉLICAT, CHOISISSEZ UNE CHAUSSURE LÉGÈRE POUR COMPENSER.

Quelques conseils

1 Au chalet, le chandail à capuchon et à poche ventrale de type « kangourou » est à porter sans modération. Vêtement pratique et confortable par excellence, sa pochette est également utile pour ramasser des cocottes.

2 Surtout si vous êtes en groupe, essayez de choisir des teintes reposantes pour ceux qui vous regardent. De toute façon, les moustiques sont davantage attirés par les couleurs vives.

3 Pensez vos vêtements en fonction de vos activités. Ainsi, on ne vous verra pas en mini-shorts et en gougounes dans le bois, les jambes en sang parce que lacérées par des branches d'arbres.

4 Si on ne mange pas à la table des enfants, on se change pour souper. On ne soupe pas en maillot ou en bedaine à moins d'un BBQ sur la plage.

5 À la pêche, la veste rembourrée sans manches vous tiendra le tronc au chaud tandis que vous serez libre de vos mouvements pour lancer et trôler comme un pro. Une vieille casquette et des bottes de pluie complètent le look parfait du pêcheur de bout de quai.

6 La chemise à carreaux, un must pour les messieurs, peut aussi être très seyante pour les dames. Avec son style hippie-chic-bûcheron-grunge-country-décontract-négligé-edgy, elle s'adapte à toutes les circonstances.

7 Mesdames, votre maquillage sera absent ou léger et votre coiffure devra être simple. Pour profiter au maximum de votre séjour, minimisez le temps passé devant le miroir. Vous aurez une allure fraîche et naturelle, et votre hâle fera le reste.

8 Autour du feu, privilégiez les vêtements longs pour éviter les piqûres de moustiques. Jeans et kangourou sont des choix astucieux.

9 Qu'on se le dise, le chalet n'a pas à être le lieu de la haute branchitude, mais il y a quand même quelques écueils évidents à éviter:

- Les casquettes cache-nuque ou casquettes sahariennes.

- Le bandana façon motard.

- Porter des vêtements neufs, trop chics ou pire: des souliers pointus, blancs.

- Les chandails coupés en haut du nombril (comme le frère de Kenny dans le film).

LES VACANCES SONT LE MOMENT IDÉAL POUR LES MESSIEURS QUI DÉSIRENT SE FAIRE POUSSER UNE BARBE OU UNE MOUSTACHE. N'HÉSITEZ PAS À FAIRE DES TESTS. VOUS DÉCIDEREZ ENSUITE DE VOUS RASER OU NON LORS DE VOTRE RETOUR À LA VIE URBAINE.

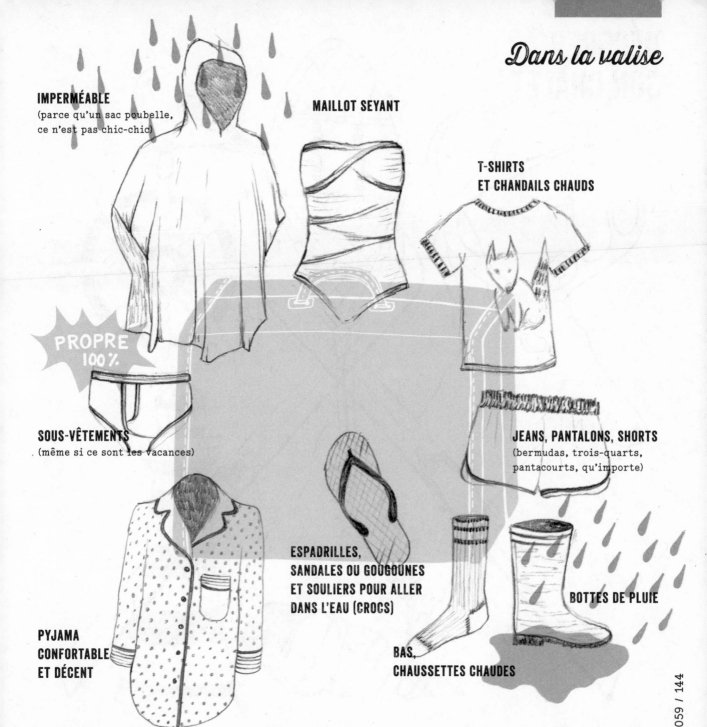

Dans la valise

IMPERMÉABLE
(parce qu'un sac poubelle, ce n'est pas chic-chic)

MAILLOT SEYANT

T-SHIRTS ET CHANDAILS CHAUDS

PROPRE 100%

SOUS-VÊTEMENTS
(même si ce sont les vacances)

JEANS, PANTALONS, SHORTS
(bermudas, trois-quarts, pantacourts, qu'importe)

ESPADRILLES, SANDALES OU GOUGOUNES ET SOULIERS POUR ALLER DANS L'EAU (CROCS)

BOTTES DE PLUIE

PYJAMA CONFORTABLE ET DÉCENT

BAS, CHAUSSETTES CHAUDES

L'abc d'un espace agréable

LE CHALET, C'EST LES VACANCES ET L'ÉVASION. EFFORCEZ-VOUS DE CRÉER UNE AMBIANCE CONVIVIALE ET CHALEUREUSE, ET RAPPELEZ-VOUS QUE VOUS NE VIVEZ PAS AU CHALET 365 JOURS PAR ANNÉE: VOTRE CHALET PEUT NE PAS ÊTRE (OU MÊME NE DEVRAIT PAS ÊTRE) LE REFLET PARFAIT DE VOTRE DEMEURE USUELLE. POURQUOI NE PAS TROUVER L'INSPIRATION DANS L'ENVIRONNEMENT OÙ EST VOTRE CHALET: À LA CAMPAGNE, AU BORD DE L'EAU, AU BAS DES PISTES? LA DÉCORATION EST UNE QUESTION DE GOÛT ET DE BUDGET, CELA VA DE SOI. ENTRE LE CHALET ASEPTISÉ ET LE CAMP DE BÛCHERONS, VOUS TROUVEREZ SANS DOUTE LE MOYEN DE CRÉER UN DÉCOR À VOTRE GOÛT OÙ IL FAIT BON VIVRE.

ÉPUREZ VOTRE ESPACE

SI VOTRE INTÉRIEUR N'EST PAS TOUT DE BOIS NOBLE VÊTU, MAIS PLUTÔT FAIT D'UN ASSEMBLAGE PEU HARMONIEUX DE SIMILI BOIS, DE FAUSSES BRIQUES, DE STUCCO ET AUTRES REVÊTEMENTS DOUTEUX, n'hésitez pas à tout repeindre d'un blanc virginal. Vous aurez le sentiment de respirer enfin et vous verrez votre chalet sous un jour nouveau. Les accents de couleur seront fournis par les meubles et les accessoires. Qui aurait dit que cette toile de canards peinte par votre grand-mère prendrait enfin tout son sens, joliment encadrée au-dessus de la cheminée? Ce traitement choc convient aux chalets trop sombres et est, en outre, une excellente toile de fond pour une décoration de style nautique. Et tant pis pour les tapis! Surtout si votre chalet est humide et devient vite poussiéreux, gardez-vous de couvrir le sol de tapis qui deviendront rapidement des incubateurs de bactéries et autres choses dégoûtantes. Pensez à l'hiver avec les bottes pleines de neige et à l'été au retour du lac avec les pieds mouillés pleins de sable...

CHOISISSEZ VOTRE MOBILIER

POUR VOUS PERMETTRE DE JOUIR TOTALEMENT DE VOS MOMENTS DE DÉTENTE, VOTRE CHALET DOIT ÊTRE PROPRE, PRATIQUE ET BIEN ÉQUIPÉ. Un chalet, surtout s'il appartient à une même famille depuis plusieurs années, peut tranquillement se transformer en musée des horreurs.

ÉVITEZ DONC DE SURCHARGER. Pour ce faire, exit les objets ou les meubles laids et inadaptés. N'amassez pas de choses qui ne vous rendent pas heureux au premier coup d'œil. Dès le moment où vous posséderez ou même penserez acquérir un chalet, vous serez guetté par l'amassage compulsif. «Chéri, tu ne penses tout de même pas jeter ce cadre écaillé et ces ustensiles rouillés? Ils feront très bien pour le chalet!» Qui plus est, tous voudront vous refiler leurs vieilles affaires. Qu'on se le dise clairement, ce n'est pas parce que c'est gratuit que c'est joli. Faites régulièrement le tri dans vos possessions: votre chalet n'est pas un entrepôt.

UN GROS DIVAN ELRAN ET DEUX LA-Z-BOYS DANS UNE CABANE DE 16 PI^2 RISQUENT DE VOUS FAIRE SUFFOQUER. Arrangez-vous pour que la taille des meubles soit proportionnelle à la taille de votre chalet, quitte à faire des choix déchirants tels que vous départir de l'immense buffet en bois massif ayant appartenu à votre grand-mère s'il ne vous laisse aucun espace pour ajouter une table. Privilégiez les meubles polyvalents: dans une petite cuisine, les chaises qui entrent sous la table et les bancs sans dossier sont une bonne idée.

IL EN VA DE MÊME POUR LES PETITS OBJETS. Il est normal de vouloir conserver les souvenirs qui ont une valeur sentimentale, mais vous ne pourrez certainement pas tout exposer. Vous collectionnez des pipes depuis que votre grand-père vous en a offert une quand vous aviez six ans? Madame votre épouse pourrait se lasser de passer ses étés au centre d'interprétation de la pipe. Choisissez d'exposer quelques-unes de vos plus belles pièces et rangez les autres.

RÉCUPÉREZ ET RESTAUREZ DE VIEUX MEUBLES. Votre fauteuil orange brûlé datant de 1972 a connu des jours meilleurs? Attention, une fois un coup de pinceau passé sur sa base en bois défraîchie et ses vieux coussins recouverts d'un tissu de votre choix, il aura retrouvé une allure des plus actuelles tout en gardant son charme d'antan. Ainsi, une housse sur un canapé laid ayant encore de beaux jours devant lui peut faire de vrais miracles.

SI VOUS N'AVEZ PAS D'ARGENT OU D'ÉNERGIE À METTRE SUR VOTRE CUISINE DÉMODÉE, concentrez-vous sur la couleur, les détails et les accessoires. Changer les poignées de vos armoires peut leur redonner leurs lettres de noblesse. Voilà! Vos armoires ne sont plus laides, elles sont délicieusement kitsch et vintages.

MAGASINEZ SUR PLACE. Pour compléter votre ameublement ou pour dénicher les accessoires qu'il vous faut, courez les brocantes, antiquaires et marchés aux puces de la région. En plus d'encourager les commerçants locaux, vous économiserez sur le transport (avec le prix de l'essence, pensez-y!).

SOIGNEZ L'ÉCLAIRAGE

DES NÉONS DANS UNE SALLE À MANGER, ÇA VOUS TUE L'AMBIANCE À COUP SÛR. Changer vos ampoules peut faire toute la différence. Laissez tomber l'halogène et les éclairages froids, et privilégiez une lumière plus jaune et chaleureuse. Variez les types d'éclairage (appliques murales, suspensions, lampes d'appoint...) et, si possible, installez des gradateurs aux endroits stratégiques, comme pour la suspension au-dessus de la table de la salle à manger. Vous pourrez ainsi adapter l'ambiance au moment de la journée et à vos besoins.

LES SPORTS D'HIVER VERSION VINTAGE, pour les chalets en bordure des pentes.

ACCESSOIRES INCONTOURNABLES :
raquettes en babiche et vieux skis en bois placés en croix sur le mur,
coussins et jetés aux motifs alpins,
photos de votre grand-mère en skis dans les années 1950.

LE NAUTISME, pour les chalets en bordure de plage.

ACCESSOIRES INCONTOURNABLES :
coquillages,
réplique d'un bateau ou d'un phare,
télescope à la fenêtre,
lanternes,
bouée et roue de bateau.

LA NATURE, pour les chalets en bordure de... la nature.

ACCESSOIRES INCONTOURNABLES :
branches, bûches et cocottes,
cervidés (pas obligé d'être des vrais de vrais),
réplique de pic-bois accroché à un arbre,
imprimés fleuris (parce que des fleurs,
c'est un peu matante, mais en même temps,
c'est rassurant des petits rideaux fleuris).

EN GÉNÉRAL, ON NE SE TROMPE JAMAIS AVEC : L'horloge coucou, le bouquet de fleurs des champs, un foyer ou un poêle à bois (les nouveaux modèles sont beaucoup plus performants et créent beaucoup moins d'émissions que leurs ancêtres), un hamac, une jolie bibliothèque (parce qu'au chalet, on lit), des jetés, des courtepointes, des catalognes, des rames accotées dans un coin et des jumelles au bord de la fenêtre. Ayez aussi toujours plusieurs guides d'interprétation (plantes, champignons, oiseaux, etc.).

SAVOIR-VIVRE

EN PLEIN AIR

SAVOIR-VIVRE EN PLEIN AIR

RIEN DE TEL QU'UNE BALADE EN FORÊT POUR SE REQUINQUER LE CAQUET ET SE DÉLASSER UN PEU. LE CALME, LES ODEURS, LES FORMES ET LES COULEURS VARIÉES SONT AUTANT DE PETITES GÂTERIES POUR L'ÉQUILIBRE MENTAL. LE QUÉBEC EST PARTICULIÈREMENT RECONNU POUR SES GRANDS ESPACES DE NATURE VIERGE. SI VOUS EN DOUTEZ, DEMANDEZ À DES TOURISTES EUROPÉENS, ILS VOUS LE DIRONT. MAIS LA PRÉSENCE DE L'HUMAIN N'EST PAS SANS CONSÉQUENCE POUR NOS IMMENSES ÉTENDUES SYLVESTRES. QUE VOUS SOYEZ DAVANTAGE CHASSEUR OU PLUTÔT CUEILLEUR, LE SAVOIR-VIVRE ENSEMBLE ET LE RESPECT MUTUEL SONT LES CLÉS D'UNE COHABITATION HARMONIEUSE.

« **JE DÉCROCHE ET J'ÉVITE DE PENSER QUE JE DEVRAIS COTISER DAVANTAGE À MES RÉER.** »

1. Dans la forêt, je me considère toujours comme un visiteur. Je suis conscient que chacune de mes balades en forêt, chaque feu et chaque bruit produisent un effet sur la faune et la flore. Je tâche donc de limiter au maximum les impacts de mes activités récréatives.

2. Que je sois à pied, en vélo ou à cheval, je respecte les terrains privés et je reste dans les sentiers balisés.

3. Je ne laisse aucune trace de mon passage. Je ne laisse aucun détritus, je n'abime pas les arbres, ne casse pas les branches, ne piétine pas les jeunes pousses, et je me fais particulièrement oublier durant la période de couvaison et de mise bas.

4. Je respecte l'ambiance, je m'imprègne de l'atmosphère et n'empêche pas les autres d'en profiter avec mes bavardages insipides.

5. Je pratique la cueillette des champignons, des baies, des fleurs et autre flore en quantité raisonnable et selon les prescriptions locales, tout en évitant les espèces menacées. Ne faites pas semblant que vous ignoriez que l'ail des bois était une espèce menacée.

6. Mon instinct de pyromane anarchiste, je n'emporte pas. Je ne fais des feux qu'aux endroits prévus et j'évite d'en faire en période de sécheresse.

7. Je décroche et j'évite de penser que je devrais cotiser davantage à mes RÉER.

8. Jamais sans mon chien... en laisse. Même le chien le mieux dressé conserve son instinct de chasseur. Or, si vous n'êtes pas vous-même un chasseur, que vous n'êtes pas en période de chasse, que vous n'avez pas de permis... votre chien ne devrait pas pourchasser le gibier. Un gibier pourchassé est un gibier stressé et le stress, ce n'est pas bon pour le cœur. En outre, votre Shih Tzu, si mignon soit-il, urine sur tous les arbres et son odeur est dérangeante pour les animaux.

La survie en forêt

METTONS LES CHOSES AU CLAIR: NE VOUS FIEZ PAS À CE GUIDE POUR SURVIVRE EN FORÊT. APRÈS VOTRE LECTURE, VOUS SEREZ SANS DOUTE POLI, JOLI ET GENTIL EN FORÊT. APRÈS TROIS JOURS, PAR CONTRE, VOUS SEREZ PROBABLEMENT MORT. VOICI QUAND MÊME QUELQUES CONSEILS DE BASE PARCE QUE NOUS TENONS À VOUS.

NE PARTEZ PAS SEUL. Que vous soyez un athlète super en forme ou que vous viviez une petite déprime et avez envie d'être seul, restez non loin du chalet.

PLANIFIEZ BIEN VOTRE TRAJET et dites à quelqu'un où vous allez et quel chemin vous allez emprunter (quelqu'un qui ne part pas avec vous, il va sans dire).

« SI J'AI DÉJÀ VU CE DRÔLE DE ROCHER DIX FOIS, C'EST QUE JE TOURNE EN ROND DEPUIS DES HEURES. »

PRÉPAREZ-VOUS UNE PETITE TROUSSE DE SURVIE que vous traînerez chaque fois que vous partirez en forêt.

TOUT AU LONG DE LA PROMENADE, SOYEZ ATTENTIF À CE QUI VOUS ENTOURE: drôle de rocher, clairière, montagne, talle de bleuets... Ces repères visuels pourraient vous servir: « Si j'ai déjà vu ce drôle de rocher dix fois, c'est que je tourne en rond depuis des heures. »

BON, C'EST OFFICIEL, VOUS ÊTES ÉGARÉ. Gardez votre calme. S'il fait froid, bougez pour éviter l'hypothermie. Trouvez un endroit dégagé et visible pour vous installer et n'en bougez plus jusqu'à ce qu'on vienne vous chercher. Si on tarde, préparez un abri avec des branches et de la corde, et faites un feu. C'est à partir d'ici que vous regrettez d'avoir apporté ce stupide livre plutôt qu'un guide de survie.

Préparer une trousse de « survie »

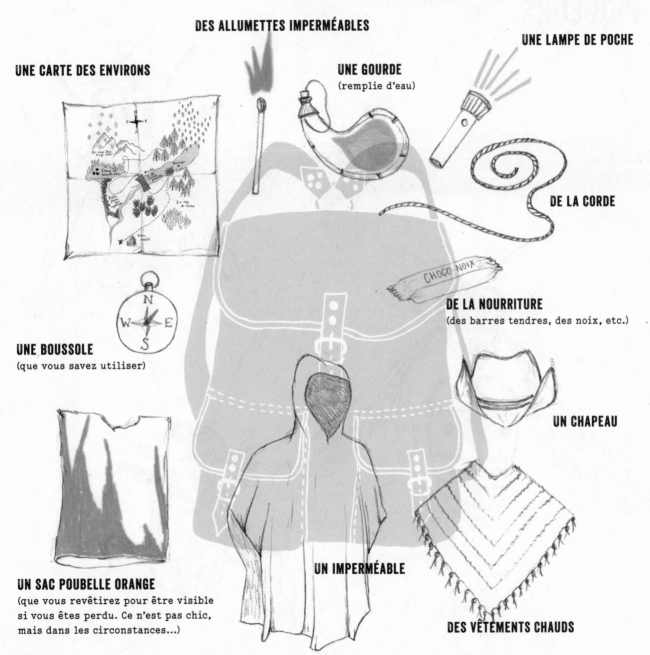

DES ALLUMETTES IMPERMÉABLES

UNE LAMPE DE POCHE

UNE CARTE DES ENVIRONS

UNE GOURDE
(remplie d'eau)

DE LA CORDE

CHOCO-NOIX

DE LA NOURRITURE
(des barres tendres, des noix, etc.)

UNE BOUSSOLE
(que vous savez utiliser)

UN CHAPEAU

UN SAC POUBELLE ORANGE
(que vous revêtirez pour être visible
si vous êtes perdu. Ce n'est pas chic,
mais dans les circonstances...)

UN IMPERMÉABLE

DES VÊTEMENTS CHAUDS

LES INSECTES PIQUEURS

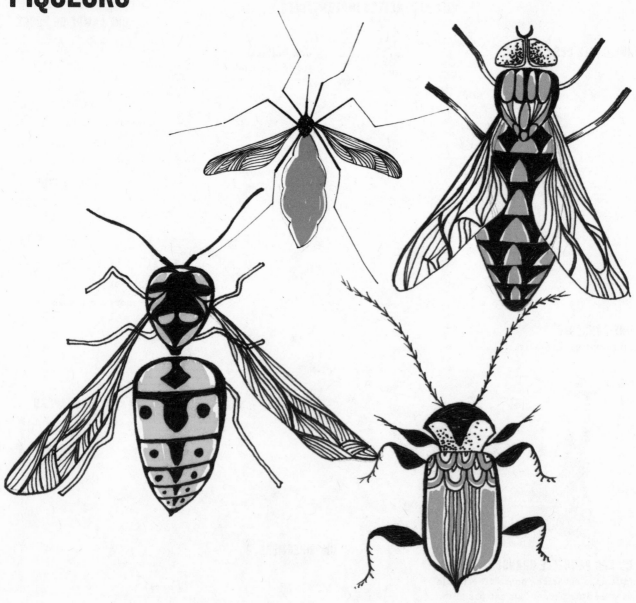

MÊME SI LEURS PIQÛRES SONT EN GÉNÉRAL SANS CONSÉQUENCE GRAVE, EN PRÉSENCE D'ABEILLES, PLUSIEURS PERSONNES TENDENT À POUSSER DES CRIS SURAIGUS TOUT EN S'AGITANT CONVULSIVEMENT, CE QUI N'EST BON NI POUR LEUR IMAGE NI POUR L'AMBIANCE GÉNÉRALE. APPRENEZ À RÉAGIR DE MANIÈRE EFFICACE ET ÉLÉGANTE AVEC LES ABEILLES, GUÊPES, BOURDONS, QU'IMPORTE, ILS SONT TOUS PLUS OU MOINS RAYÉS ET VOUS TOURNENT AUTOUR DE MANIÈRE INSISTANTE. CI-APRÈS, LES INSECTES EN QUESTION SERONT APPELÉS « ABEILLES » SANS DISTINCTION QUANT À LEUR ESPÈCE, LEUR GENRE OU LEURS CROYANCES.

1 En premier lieu, prenez quelques précautions pour paraître moins attirant (même si vous vous savez irrésistible).

2 Si vous mangez à l'extérieur, gardez, autant que possible, vos denrées sucrées et vos viandes dans des contenants fermés que vous ne sortirez qu'à la dernière minute.

3 Examinez bien votre bouchée avant de l'enfourner. Si rien n'y bouge, allez-y ! Même chose pour le jus et les boissons gazeuses : ces êtres sadiques et sans scrupules pourraient profiter de la situation et vous piquer dans la bouche ou dans la gorge.

4 En général, si vous appréciez manger dehors, prenez soin de ne laisser traîner aucun déchet et utilisez des poubelles avec couvercle.

5 Pour éviter les visites-surprises dans le chalet, effectuez un contrôle de vos moustiquaires pour repérer les orifices éventuels par lesquels ces indésirables pourraient s'infiltrer.

trucs et astuces

ON DIT QUE LES GÉRANIUMS ROSAT PRODUISENT UNE ODEUR SEMBLABLE À LA CITRONNELLE QUI ÉLOIGNERAIT LES ABEILLES ET LES MOUSTIQUES. VOILÀ UNE EXCELLENTE RAISON D'INTÉGRER CETTE PLANTE À VOTRE ENVIRONNEMENT. ÉGALEMENT, NE MANQUEZ PAS D'AJOUTER DU CLOU DE GIROFLE À VOTRE POT-POURRI, CE QUI DÉGAGERA UNE BONNE ODEUR DE TEMPS DES FÊTES ET ÉLOIGNERA LES ABEILLES. CES DERNIÈRES DÉTESTENT NOËL, VOUS N'EN VERREZ D'AILLEURS JAMAIS AU RÉVEILLON. LES GRANDS-MÈRES DISENT QUE LES TOMATES SERAIENT AUSSI UN BON RÉPULSIF. VOUS POUVEZ CONFECTIONNER VOUS-MÊME UN JOLI PIÈGE À ABEILLES POUR L'EXTÉRIEUR : COUPEZ UNE BOUTEILLE DE PLASTIQUE STYLE BOISSON GAZEUSE EN DEUX, PUIS RETOURNEZ LA PARTIE SUPÉRIEURE POUR QUE LE GOULOT SE RETROUVE DANS LA PARTIE INFÉRIEURE DE LA BOUTEILLE. REMPLISSEZ LE FOND D'UN LIQUIDE SUCRÉ : JUS, BIÈRE, EAU SUCRÉE, ETC. LES ABEILLES Y ENTRERONT, MAIS N'EN SORTIRONT PLUS.

COMMENT SE VÊTIR EN PRÉSENCE D'ABEILLES ? Les vêtements de couleur pâle sont moins attirants pour les abeilles que ceux de couleur foncée, ce qui est une chance puisque ces teintes conviendront parfaitement à votre palette estivale. Évitez aussi les parfums, après-rasages ou déodorants très parfumés qui, de toute façon, ne sont pas de bon ton au chalet. Aussi, préférez les vêtements longs, attachez vos cheveux et, au besoin, portez un chapeau moustiquaire. Notez bien, si vous en êtes là, rentrez donc à l'intérieur.

QUOI FAIRE EN PRÉSENCE D'ABEILLES INSISTANTES ? Si vous gesticulez comme un perdu, l'insecte percevra la chose comme une agression et sera davantage porté à piquer pour se défendre. Quoi faire ? Cédez le passage, évitez tout mouvement brusque, et s'il s'est posé sur vous, laissez-le partir de lui-même ou poussez-le doucement (pas de pichenotte). Évitez, si possible, de gambader pieds nus dans des endroits que vous ne fréquentez pas habituellement, certains nids sont sous la terre. Si vous avez marché sur un nid, courez! Sachez qu'éliminer un nid vous-même après avoir vu un reportage au Canal Découvertes peut comporter des risques. Lisez au moins les instructions sur la canette avant de jouer les apiculteurs du dimanche. Au mieux, faites venir un professionnel de l'extermination.

QUELQU'UN S'EST FAIT PIQUER ? Examinez la zone piquée: rougeur, chaleur et gonflement sont des réactions normales. Appliquez des compresses d'eau froide et prenez un antidouleur (type acétaminophène ou ibuprofène). Il est temps de vous inquiéter si la réaction se manifeste ailleurs qu'au site de la piqûre: enflure au visage, urticaire, asthme, perte de conscience, état de choc, etc. Dans ce cas, rendez-vous aux urgences ou faites le 911 si vous n'êtes pas trop creux dans le bois.

COMMENT FAIRE SORTIR UNE ABEILLE DU CHALET ? Ouvrez grand la porte et organisez une battue. Muni d'un vieux *Châtelaine*, faites des gestes non agressifs en amont de la bête de manière à diriger l'intruse vers la sortie. Si la chose vous rassure, vous pouvez lui parler d'une voix calme mais ferme: «Moi pas faire mal à toi, si toi sortir gentiment du chalet...» Malheureusement, cette imbécile boudera sa liberté et ira se loger contre la vitre de la porte ouverte... *Alea jacta est*: roulez votre revue et ne manquez pas votre coup! Recommencez le scénario avec les autres abeilles qui sont entrées par la porte laissée grande ouverte. Si une abeille venait à entrer dans votre voiture, ouvrez toutes les fenêtres, le ratio ouvertures/cloisons étant supérieur, elle devrait sortir rapidement sans aide de votre part.

FAITES UN FEU, ENFUMEZ-VOUS ET ENCOURAGEZ TOUT LE MONDE À FAIRE DE MÊME. COMME QUAND TOUT LE MONDE MANGE DES OIGNONS : C'EST MIEUX.

AU LEVER DU SOLEIL OU DÈS LA BRUNANTE, ILS SONT DES MILLIERS, TELS DES ESSAIMS DE MINUSCULES ZOMBIES EN ATTENTE DE VOUS DÉVORER. Combattre l'ennemi en pourfendant l'air et en finissant par vous taper dessus comme un schizophrène en pénurie d'antipsychotiques manque terriblement de distinction, sachez-le. Pour parer au désagrément causé par ces vampires ailés, vous pouvez certes couvrir votre terrain de moustiquaires et vivre tel feu Michael Jackson dans son dôme, ou encore devenir ami avec votre conseiller municipal et lui suggérer de faire arroser les environs. Il existe de nos jours des produits biologiques sans danger pour la faune, la flore et l'humain qui amènent une réduction considérable des moustiques.

VOUS POUVEZ PERSONNELLEMENT AIDER À PRÉVENIR L'INFESTATION EN ASSÉCHANT TOUTE FLAQUE D'EAU STAGNANTE QUI POURRAIT SE RETROUVER SUR VOTRE TERRAIN. À moins que votre chalet ne soit aussi un dépotoir, vous ne devriez pas entreposer de vieux pneus à l'extérieur. Retournez votre chaloupe à l'envers, videz les brouettes et les seaux, et assurez-vous que les drains du chalet sont en bonne condition pour que l'évacuation de l'eau se fasse bien. Chacun de ces plans d'eau peut produire plusieurs centaines de moustiques chaque semaine.

QUOI PLANTER POUR ÉLOIGNER LES MOUSTIQUES ? Des plantes qui sentent le citron. La citronnelle, bien sûr, mais aussi le thym citron, la mélisse, le basilic citron et la verveine citronnelle. Évitez que celles d'entre elles qui produisent des fleurs ne fleurissent en coupant régulièrement leurs extrémités. Placez-les de manière à créer un écran autour de vous quand vous êtes à l'extérieur. Mise au point : sachez que le jardinage défensif n'a rien de scientifique, mais si vous aimez jardiner, pourquoi ne pas le faire en ayant l'impression de faire une différence ? Allez, tous unis contre les maringouins !

SI ÉVITER DE SORTIR LE MATIN ET LE SOIR NE CADRE PAS AVEC VOTRE STYLE DE VIE, TÂCHEZ, COMME POUR LES ABEILLES, DE PORTER DES COULEURS PÂLES ET DES VÊTEMENTS LONGS. Les moustiques sont attirés par la chaleur et on sait que les couleurs foncées en emmagasinent davantage. De même, un parfum capiteux n'attirera pas que le sexe opposé. Toutefois, prenez garde. Si vous sentez particulièrement mauvais, vous risquez de passer votre soirée en solitaire. Faites un feu, enfumez-vous et encouragez tout le monde à faire de même. Comme quand tout le monde mange des oignons : c'est mieux.

LE PRODUIT RÉPULSIF LE PLUS ÉPROUVÉ RESTE LE DEET. Le DEET (diéthyltoluamide) est un produit chimique, c'est vrai, mais utilisé adéquatement, il n'est pas un danger pour l'humain. Santé Canada permet 30% de DEET dans les produits chasse-moustiques. Attention ! Le DEET peut abimer le cuir et certains tissus synthétiques comme le Spandex, la rayonne, l'acétate et aussi le plastique. Oubliez votre idée de projection d'acétates dans votre super ensemble de Spandex pour la veillée sous les étoiles. Une trop forte concentration de DEET peut également endommager la peau fine de vos enfants. Assurez-vous de vous procurer des produits adaptés.

LES PRODUITS NATURELS, LA PLUPART À BASE DE CITRONNELLE, DE LAVANDE OU D'EUCALYPTUS CITRON, sont malheureusement beaucoup moins efficaces. C'est bien dommage, parce que leur odeur est beaucoup plus agréable.

QUELQUES MOTS
SUR LA CHASSE

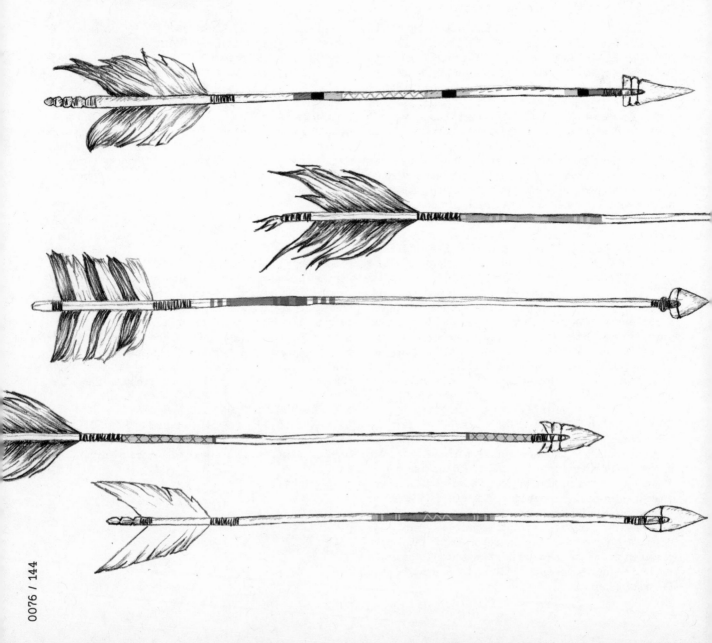

PARCE QU'AVOIR UNE ARME À FEU DANS LES MAINS, CE N'EST PAS BANAL. SI VOUS NE VOUS SENTEZ PAS AU SOMMET DE VOTRE FORME MENTALE, IL SERAIT SAGE DE REMETTRE VOTRE ACTIVITÉ À PLUS TARD. SANS COMPTER QUE POUR CHASSER LA PLUPART DES ESPÈCES ANIMALES, IL EST NÉCESSAIRE DE VOUS PROCURER UN PERMIS. MÊME POUR ALLER À LA CHASSE AUX GRENOUILLES. LA CHASSE, C'EST DU SÉRIEUX. VOUS DEVEZ RESPECTER LES ZONES ET LES PÉRIODES DE CHASSE AINSI QUE LEURS ESPÈCES CORRESPONDANTES.

« FINIR PAR ASSOMMER VOTRE PROIE À COUPS DE CROSSE EN PLEURANT À CHAUDES LARMES EST HONTEUX ET ANTISPORTIF. »

APRÈS VOUS ÊTRE ASSURÉ D'ÊTRE EN RÈGLE, SOYEZ CONSCIENT QUE VOUS PARTAGEZ LE TERRITOIRE AVEC D'AUTRES AMATEURS DE PLEIN AIR qui n'auront peut-être pas pensé à revêtir les couleurs vives de circonstance. Aussi, assurez-vous d'avoir bien identifié votre gibier avant de tirer un randonneur qui se soulage derrière un buisson.

MÊME SI UNE PETITE PONCE DE GIN VOUS RELAXE LES MUSCLES ET VOUS EMPÊCHE DE TREMBLER EN VISANT, ON NE CHASSE PAS EN ÉTAT D'ÉBRIÉTÉ. De même, ne posez jamais de gestes ou ne proférez jamais de paroles qui pourraient menacer une autre personne. Quand on est armé, des expressions telles que: « Si tu le dis, je te tue » peuvent, à juste titre, rendre votre interlocuteur nerveux. Transportez et entreposez votre arme de façon sécuritaire. Suivez toujours toutes les règles de sécurité relatives aux armes à feu et ne chassez qu'avec les armes permises. Respectez les lois et les règlements qui régissent la faune et la chasse, et ne tolérez jamais que quelqu'un s'y dérobe.

IL EST NÉCESSAIRE À TOUT CHASSEUR DE SAVOIR MANIER ADÉQUATEMENT SON ARME, de même que de connaître les techniques de chasse pour abattre le gibier proprement et rapidement: finir par assommer votre proie à coups de crosse en pleurant à chaudes larmes est honteux et antisportif. Si vous avez blessé un animal sans le tuer, faites tout pour le retrouver: battues, photo sur une pinte de lait... tout! Traitez rapidement et correctement le gibier abattu afin de le conserver jusqu'à sa consommation.

CHASSE OU PÊCHE D'ESPÈCES PROTÉGÉES, PÉRIODES OU ZONES NON RESPECTÉES, ABSENCE DE PERMIS, PRÉSENCE SUR UN TERRAIN PRIVÉ SANS PERMISSION, PRATIQUES NON AUTORISÉES... Toute pratique illégale de la chasse ou de la pêche est du braconnage. Si vous êtes témoin d'un acte de braconnage, rapportez-le à un agent de protection de la faune.

CACA DANS LE BOIS EN 5 ÉTAPES FACILES

BIEN QUE PLUSIEURS PERSONNES VIVENT UN BLOCAGE JUSTE À PENSER FAIRE LEURS BESOINS EN DEHORS DU CONFORT ET DE L'INTIMITÉ DU FOYER, POUR LA MAJORITÉ, QUAND FAUT Y ALLER, FAUT Y ALLER. QUELQUES PRÉCAUTIONS DOIVENT CEPENDANT ÊTRE PRISES AVANT DE FAIRE VOTRE OFFRANDE À DAME NATURE AFIN DE MINIMISER LA PROPAGATION DE VOS COLIFORMES FÉCAUX.

1 **TROUVER UN ENDROIT APPROPRIÉ.** Si vous êtes comme la plupart des humains, vous choisirez pour cet instant de recueillement un endroit tranquille et à l'abri des regards. Enfin, si vous ne le faites pas pour vous, faites-le pour les autres. Un épais couvert végétal vous évitera d'être surpris par d'éventuels badauds égarés. Votre lieu d'aisance devra être à bonne distance d'un sentier ou d'un endroit fréquenté, et loin des cours d'eau pour éviter toute contamination.

2 **CREUSER UN TROU DANS LE SOL AVEC UN BÂTON OU UNE PIERRE.** Deux écoles de pensée s'affrontent sur la question: enterrer ou ne pas enterrer ses déjections? L'enfouissement, s'il ne permet pas nécessairement une décomposition plus rapide, a au moins l'avantage de cacher à la vue l'objet de votre délit. Si l'inhumation semble impossible, sur un sol rocheux par exemple, repérez d'emblée une grosse pierre ou quelques branches mortes avec lesquelles vous pourrez recouvrir et camoufler le tout.

3 **SE METTRE EN POSITION.** La position accroupie est à privilégier. Pour le confort, on repassera, mais si vous faites régulièrement caca dans les bois, vous aurez des cuisses d'enfer. Une fois pantalon et culotte descendus aux genoux, écartez vos jambes et abaissez votre postérieur. Avant de vous mettre à l'œuvre, prenez soin de tirer votre pantalon vers l'avant pour éviter un fâcheux accident.

4 **HYGIÈNE.** À cette étape, c'est surtout le papier de toilette qui pose problème. Il prend beaucoup de temps à se dégrader et pollue le paysage. Si vous utilisez du papier, à défaut de le rapporter avec vous, ce qui serait l'idéal, enfouissez-le de façon impeccable. Si vous soulager dans le bois est une activité que vous pratiquez fréquemment, songez à investir dans du papier de toilette à dissolution rapide qui est davantage biodégradable que le quadruple épaisseur des marques connues. Bien que moins agréables, les feuilles sont une solution plus écologique. Choisissez-les résistantes et de bonne taille. Le choix d'une bonne feuille est une question de goût, mais apprenez à reconnaître celles qui sont de mauvais choix. On ne fait généralement pas deux fois la même erreur.

5 **RECOUVRIR.** Rebouchez votre trou. L'essentiel est que vous ne laissiez aucune trace de votre passage.

Soleil

Soleil

So - leil - leil

UN LAC SAUVAGE, AUCUN VOISIN À LA RONDE, LE PLAISIR DE SENTIR L'EAU FRAÎCHE SUR SON CORPS NU EN ÉCOUTANT *SOLEIL SOLEIL* DE NANA MOUSKOURI À TUE-TÊTE... PEUT-ON SE RAPPROCHER DAVANTAGE DU BONHEUR ? PROBABLEMENT PAS. MAIS, DANS LA VRAIE VIE, PARTAGER SON PETIT COIN DE PARADIS AVEC D'AUTRES VILLÉGIATEURS EST SOUVENT LA NORME. QUE VOUS SOYEZ À LA PLAGE MUNICIPALE OU SUR VOTRE QUAI FLOTTANT, TOUT LE MONDE MÉRITE SES VACANCES AUTANT QUE VOUS ET CE N'EST PAS PARCE QUE VOUS ÊTES À MOITIÉ NU QUE VOUS POUVEZ VOUS AUTORISER DAVANTAGE DE PRIVAUTÉS.

APPORTER UN LIVRE (CE LIVRE) PERMET D'AVOIR L'AIR OCCUPÉ pendant qu'on regarde les autres dans leur maillot.

ON DOIT PRENDRE EN CONSIDÉRATION LES MOUVEMENTS DE LA MARÉE AVANT D'INSTALLER SON CAMPEMENT DE JOUR, et prendre soin de se crémer et d'attacher son matelas gonflable avant de s'endormir.

LES LACS PRODUISENT BEAUCOUP D'ÉCHOS. Soyez donc conscient que si vous êtes en pédalo et criez à quelqu'un sur la berge d'aller vous chercher une petite bière froide, vos voisins ne manqueront pas de noter que vous prenez l'apéro avant midi. Évitez d'en rajouter en affirmant qu'il est 5 h quelque part dans le monde.

IL EST MALHEUREUSEMENT TERMINÉ LE TEMPS OÙ ON SE LAVAIT DANS LE LAC. Même les savons et shampoings dits biodégradables ou écologiques peuvent contenir des phosphates et être néfastes pour le lac en favorisant la production de cyanobactéries.

UN BAIN DE MINUIT, C'EST ROMANTIQUE, C'EST DRÔLE ET ÇA RÉVEILLE... Mais la perspective de se mettre les pieds dans du mou non identifié ou de sentir un poisson leur frôler l'entre-jambes peut en rebuter quelques-uns. En aucun cas, vous ne devez vous aventurer seul dans l'eau (de toute façon, à moins d'avoir perdu un pari, à deux, c'est mieux). Avec la visibilité réduite, le danger de vous blesser ou même de vous noyer est accru. C'est connu, les adolescents et les personnes en état d'ébriété ont de la difficulté à évaluer correctement les risques. C'est aussi reconnu que le bain de minuit est une activité particulièrement prisée par les adolescents et les personnes en état d'ébriété. Si vos facultés sont affaiblies, mieux vaut remettre le projet. Ce n'est pas demain la veille que la nuit et le lac disparaîtront.

TEST DE SAVOIR-VIVRE

C'est moi

☐ **A** J'écoute ma musique préférée dans mes écouteurs et je ne fais pas jouer les gens à « Devine ce que je chante ».

☐ **B** Je ne fais pas un spectacle érotique en étalant ma crème solaire, même si c'est le calme plat dans ma vie sexuelle. Je me crème avant de quitter le chalet pour profiter d'une protection maximale (voir « Recette pour réussir un crémage parfait » p. 92).

☐ **C** Même quand la majeure partie de la plage est libre, je choisis de m'installer tout à côté de gens que je ne connais pas pour leur tenir compagnie.

☐ **D** Je fume des Gitanes en criant dans mon téléphone cellulaire.

☐ **E** Je ramasse et ramène mes déchets. En aucun cas, je ne me fais un petit site d'enfouissement personnel avec mes mégots et mes débris.

☐ **F** Si je ne suis pas sur une plage nudiste, je garde toutes les parties de mon maillot bien en place.

☐ **G** Je m'assure, s'il est toléré, de garder le contrôle sur mon animal de compagnie de façon à ce qu'il n'engouffre pas le pique-nique de quelqu'un ou pire, son enfant.

☐ **H** Pour épater les filles, je m'élance au bout du quai pour faire ma plus belle bombe en prenant bien soin d'éclabousser celles qui se font bronzer sur le quai pour attirer leur attention.

RÉSULTAT AU TEST

VOUS AVEZ RÉPONDU « *C'est moi* » À

A B E F G

Vous êtes archipoli. Wow, quelle belle sensibilité vous avez ! Qui n'aimerait pas avoir un voisin comme vous ? Vous êtes avenant, discret et votre retenue vous honore. Vous êtes du genre à ravaler un rapport, à ramasser un botch qui ne vous appartient pas et à offrir votre parasol à un bébé trop exposé... Le seul danger qui vous guette est d'endurer beaucoup trop longtemps des voisins sans aucune classe et de souffrir en silence sans oser dire un mot.

VOUS AVEZ RÉPONDU « *C'est moi* » À

C D H

Parlons sérieusement, si vous continuez de cette manière, nous espérons que quelqu'un, un jour, aura le courage de vous donner une volée, parce que c'est assurément ce que vous méritez et probablement la seule façon de vous faire entendre raison. Vous êtes absolument désagréable et inconscient du monde qui vous entoure. Vous êtes comme une grosse sangsue visqueuse en manque d'attention. Ceux qui vous tolèrent sont vos semblables, ou ils le font parce que vous les intimidez par votre attitude troublante et antisociale.

CHOISIR UN MAILLOT DE BAIN

A =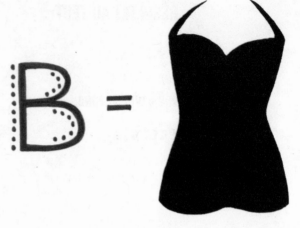

B =

 = O

TOUT
TOUT = X
TOUT

L =

V =

LE CHOIX D'UNE TENUE DE BAIGNADE SEYANTE ET APPROPRIÉE EST IMPORTANT NON SEULEMENT POUR VOTRE PROPRE BIEN-ÊTRE À VOUS, MAIS ÉGALEMENT POUR CELUI DE CEUX QUI VOUS REGARDENT. POUR ÊTRE À VOTRE MEILLEUR, L'ÂGE ET SURTOUT L'ANATOMIE DICTENT LE CHOIX DU MODÈLE.

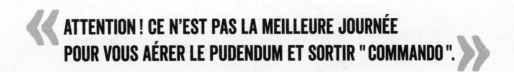

« ATTENTION ! CE N'EST PAS LA MEILLEURE JOURNÉE POUR VOUS AÉRER LE PUDENDUM ET SORTIR "COMMANDO". »

Le choix d'un maillot de bain est souvent plus anxiogène pour la femme que pour l'homme. L'éclairage blafard des cabines d'essayage qui met en évidence ce qu'on cherche à cacher a effectivement de quoi démoraliser la plus joviale d'entre nous. Qu'à cela ne tienne, prenez votre courage à deux mains (ou vos antidépresseurs) et enfilez maillot après maillot jusqu'à ce que vous trouviez le bon (ou le moins affreux). L'essayage du maillot est essentiel puisque, habituellement, celui-ci est en vente définitive et qu'il ne peut donc être retourné au magasin.

Attention ! Pour essayer des maillots de bain, vous devez être pourvue de sous-vêtements: ce n'est pas la meilleure journée pour vous aérer le pudendum et sortir « commando ».

Le saviez-vous ? L'expression « être commando », c'est-à-dire le fait de ne pas porter de sous-vêtements, nous viendrait des soldats œuvrant dans les pays tropicaux. Ces derniers ne porteraient pas de sous-vêtements afin de maximiser l'aération de leur fourche et ainsi réduire l'humidité susceptible de favoriser maladies et démangeaisons.

Les propositions de maillots des pages suivantes sont parfaites pour la baignade d'agrément ou pour vous faire bronzer sur le quai. Pour entreprendre la traversée du lac à la nage ou pour faire des bombes, assurez-vous, qu'importe votre forme, de choisir un maillot qui tient bien en place, sous peine d'affronter des regards concupiscents ou affolés à votre sortie de l'eau. Ceci dit, avoir plusieurs maillots pour le chalet n'est pas un luxe si vous êtes une baigneuse ou un baigneur aguerri et pratiquez des activités aquatiques de tout acabit.

L'abc de la silhouette féminine

TYPE A (ou la belle poire)

Vous avez les hanches plus larges que les épaules et votre grand-mère de la campagne vous dit souvent que vous êtes faite pour porter des enfants. Vous mettrez donc l'accent sur le haut pour faire oublier le bas. Dégagez vos épaules avec un maillot licou, par exemple, ou encore attirez le regard vers votre poitrine avec un haut drapé. Privilégiez des couleurs sobres pour le bas. Choisissez des culottes taille basse et de type shorts plutôt qu'échancrées. Et surtout pas de rayures horizontales. Si vous avez une amie de type V (voir « Type V »), achetez-vous ensemble deux maillots deux-pièces de couleurs différentes : un sobre et un plus voyant. Vous prendrez la culotte sobre et le haut voyant et votre amie l'inverse !

TYPE B (pour bourrelets)

Debout, quand vous vous tenez bien droite, ça va, mais dès que vous relâchez un peu la tension, pas de doute, vous avez une belle brioche. Le maillot une pièce, drapé à l'avant et de préférence foncé et sans motif imposant, est votre meilleur allié. Évitez les matériaux lisses et luisants qui vous mouleront le bourrelet sans vergogne et le bikini qui vous dotera d'une bouée intégrée. Concentrez-vous sur votre poitrine ou sur vos jambes.

TYPE L (ou grande échalote)

Vos épaules sont aussi larges que vos hanches et votre taille est à peine marquée. Vous êtes grande, certes, mais vous n'avez pas changé d'un iota depuis votre 14e anniversaire. Trouvez-vous un maillot qui ajoutera un peu de « swag » et de féminité à votre grand corps efflanqué. Pour ce faire, choisissez-en un qui aura pour effet de vous fabriquer une taille. Une culotte échancrée (est-il nécessaire de mentionner qu'un maillot de bain échancré demande une épilation parfaite ?) à cordes et un haut bien rembourré (ou du moins structuré) vous permettront de mettre en valeur la poitrine et les hanches que vous n'avez pas. Évitez le noir, qui vous amincira davantage, et optez plutôt pour les couleurs, les motifs, les nœuds, les franges, les froufrous, enfin, tout ce qui peut donner du relief à votre silhouette. Les décolletés en V et les bretelles croisées dans le dos avantagent également votre type de morphologie.

TYPE O (ou la grosse pomme)

Vous êtes forte en épaules et vous avez une taille peu définie. Vous avez probablement, par contre, une poitrine douillette et généreuse. Mettez donc l'accent sur vos attributs avec un joli décolleté en V. Évitez les froufrous, volants, boutons, breloques… tout ce qui pourrait vous ajouter de l'épaisseur. L'objectif est d'essayer de découper et d'amincir votre taille. Courez vers les couleurs foncées, les rayures verticales et les petits imprimés. Si vous n'êtes pas très ferme ni tonique, choisissez un maillot une pièce qui maintiendra le tout en place. Faites attention aux élastiques trop serrés qui peuvent vous boudiner davantage. Le maillot croisé à échancrure ordinaire est un bon choix, puisqu'il met l'accent sur la taille et l'amincit. Si vous optez pour un bikini, choisissez-en un avec un bon maintien.

TYPE V (ou la nageuse de compétition)

Vous avez les épaules larges, mais des hanches et des fesses plutôt discrètes. Il arrive qu'on vous prenne pour une nageuse est-allemande ? Mettez donc l'accent sur le bas du corps. Jetez-vous sur les bas à froufrous, lacés, à nœuds, et privilégiez les hauts plus délicats.

TYPE X (ou vedette des années 1950)

Vos épaules et vos hanches sont de la même largeur, mais vous avez la taille fine. Vous pouvez porter n'importe quoi. Ne nous faites pas perdre notre temps et sautez cette section.

trucs et astuces

ENTRETIEN DU MAILLOT

POUR REVENIR AU CHALET, ENROULEZ VOTRE MAILLOT MOUILLÉ DANS VOTRE SERVIETTE PLUTÔT QUE DE LE LAISSER EN BOULE DANS LE FOND D'UN SAC DE PLASTIQUE. RINCEZ-LE APRÈS CHAQUE UTILISATION ET POUR LE LAVER, UTILISEZ UN SAVON DOUX. VOTRE SHAMPOING PEUT TRÈS BIEN FAIRE L'AFFAIRE. PLUTÔT QUE DE LE TORDRE, ASSÉCHEZ-LE DANS UNE SERVIETTE SÈCHE ET NE LE SUSPENDEZ PAS EN PLEIN SOLEIL, CAR LES JOLIES FLEURS ROUGES DEVIENDRONT RAPIDEMENT ROSES EN COURS D'ÉTÉ. RAPPELEZ-VOUS QUE LA CRÈME SOLAIRE S'ÉTEND AUTOUR DU MAILLOT ET NON SUR LE MAILLOT. ÉVITEZ AUSSI DE L'ASPERGER DE PARFUM. (QUI SE PARFUME POUR ALLER AU LAC ?)

Maillots pour hommes

OBSERVEZ-LES BIEN RENTRER LEUR VENTRE, CONTRACTER LEURS MUSCLES ET SE GONFLER LE TORSE... CERTAINS HOMMES PERDENT COMPLÈTEMENT LEUR CONTENANCE VIRILE NATURELLE EN SE TROUVANT EN PUBLIC SI LÉGÈREMENT VÊTU. MAIS LA PLUPART, C'EST VRAI, N'EN FONT PAS UNE MALADIE ET C'EST PLUS SAIN AINSI. CEUX-LÀ PRÉFÈRENT SE CONCENTRER SUR LEUR PROCHAINE FIGURE EN S'ÉLANÇANT DU BOUT DU QUAI PLUTÔT QUE DE SE REGARDER POUSSER LE BOURRELET EN SE LAMENTANT SUR LEUR SORT. NÉANMOINS, VOICI QUELQUES ASTUCES POUR CONJUGUER ÉLÉGAMMENT MAILLOT DE BAIN ET MORPHOLOGIE MASCULINE CORRESPONDANTE. BIEN QU'IL EXISTE MOINS DE POSSIBILITÉS POUR LE MAILLOT MASCULIN, PLUSIEURS PIÈGES SONT NÉANMOINS À ÉVITER. SACHEZ D'ABORD RECONNAÎTRE LES MODÈLES DE MAILLOTS.

LE STRING. Le string est le plus petit et le plus révélateur de tous les maillots de bain masculins. Très moulant et très échancré, il est constitué d'un triangle de tissu à l'avant et d'une bande de tissu entre les fesses. Peu confortable, il est aussi de très mauvais goût.

LE SLIP (OU SPEEDO). Il s'agit, ni plus ni moins, d'une petite culotte assez échancrée et moulante. Très très ajusté, le Speedo fut le maillot le plus populaire jusqu'à la fin du siècle dernier. Le Speedo a perdu ses lettres de noblesse au même moment que le Walkman Sony jaune. Même si vous êtes fier de vos attributs virils, laissez-le aux nageurs ou aux plongeurs de compétition. Si vous êtes un adepte de bronzage, privilégiez un boxer court à la James Bond.

LE BOXER. Variante maillot de bain du caleçon, il est plutôt court et moulant. Il est réservé aux corps fermes et bien découpés.

LE SHORT. Les shorts sont les culottes courtes du maillot de bain. Bien que ne gainant pas totalement la croupe, les shorts sont assez près du corps.

LE BERMUDA. Le bermuda est un maillot de type short, mais plus long. Il est également un peu moins ajusté. C'est le maillot que choisissent les plus pudiques.

LE SHORT DE SURF OU CAPRI. Descendant sous les genoux, c'est certainement le plus couvrant. Mais au fait, est-ce bien un maillot? Eh non! Mettez-le plutôt comme vêtement de plage, car si c'est pour nager, pourquoi ne pas garder votre pantalon et votre chandail, tant qu'à y être?

trucs et astuces

LE MONDE DU MAILLOT DE BAIN POUR HOMME DEMEURE SOMME TOUTE TRÈS CONVENTIONNEL. SI VOUS NE VOULEZ PAS VOUS TROMPER, FAITES DANS LA SOBRIÉTÉ. IL EST, EN OUTRE, DE MAUVAIS GOÛT DE CHOISIR UN MODÈLE QUI ATTIRE LE REGARD SUR VOS ATTRIBUTS VIRILS.

LE I MINUSCULE

Vous êtes petit en long et en large. En bermuda ou en short de surf, on dirait que vous êtes en pantalon. Cependant, on craquera à tout coup en vous voyant dans un boxer moulant ou dans un petit short ajusté.

TYPE I MAJUSCULE (ou grande asperge)

Vous êtes peu musclé et, de dos, on vous prend pour un adolescent. Faites le deuil du moulant qui accentuerait votre taille. Le bermuda permet de bien camoufler des cuisses trop maigres. Un tissu qui sèche rapidement vous empêchera de vous sentir comme un chat mouillé trop longtemps.

SILHOUETTE EN O

Vous êtes corpulent. Large du ventre, de la taille, des hanches, du bassin, des fesses, des cuisses… Bref, vous êtes large de partout. Optez pour un bermuda léger au tissu mat. Oubliez les motifs hawaïens. Allez-y pour une couleur unie ou de petits motifs discrets.

SILHOUETTE EN R

Si vous avez une silhouette en forme de « R », c'est que vous n'êtes probablement plus dans la prime jeunesse. Vous possédez de petites jambes fines, des épaules et des bras standards, mais un énorme ventre rond. Le plus important à retenir, c'est que le maillot, il faut le voir. De grâce, ne choisissez pas un mini-Speedo qui s'encastrera sous votre ventre. Un short mi-cuisses fera l'affaire. Même si l'élastique le permet, il n'est pas du meilleur goût de remonter votre short jusqu'au nombril.

TYPE T (pour trapu)

Vous êtes plutôt petit, massif et compact. Réduisez la quantité de tissu. En montrant davantage vos jambes, vous allongerez votre silhouette. Vous choisirez donc un short court, mais pas trop serré.

TYPE V PARFAIT

Beaucoup d'heures au gym ou tout simplement don de la nature, vous avez un corps d'athlète bien proportionné. Optez pour un boxer ou un short assez ajusté. Les plus extravagants peuvent se permettre des motifs plus ludiques.

LE SOLEIL
ET VOUS

IL EST BEAU, IL EST CHAUD, VOUS N'IMAGINERIEZ PAS VOS VACANCES SANS SA PRÉSENCE, C'EST VOTRE ÉTOILE PRÉFÉRÉE D'ENTRE TOUTES LES ÉTOILES, LE CENTRE DE VOTRE UNIVERS, SANS LUI, VOUS NE SERIEZ RIEN, VOTRE ÉNERGIE VITALE EN DÉPEND... MAIS ATTENTION, CETTE RELATION POURRAIT S'AVÉRER DANGEREUSEMENT TOXIQUE... RÉVEILLEZ-VOUS! NE VOYEZ-VOUS DONC PAS TOUT LE MAL QU'IL POURRAIT VOUS FAIRE? VOUS ÊTES SI FRAGILE: PRENEZ SOIN DE VOUS ET TÂCHEZ DE VOUS PROTÉGER.

 SACHEZ AUSSI QU'ON VOUS JUGERA COMME ÉTANT UN MAUVAIS PARENT SI VOUS EXPOSEZ VOS ENFANTS DE MOINS DE TROIS ANS AU SOLEIL ENTRE 11 H ET 16 H.

D'ICI À CE QUE LA MODE « MITE DE BASEBALL » ET CANCER À 40 ANS REVIENNE EN FORCE, il vous est fortement suggéré de vous enduire de pied en cap de crème solaire (minimum FPS 30). Évitez, idéalement, de vous exposer au soleil pendant les heures les plus chaudes de la journée, grosso modo entre 12 h et 16 h. Chapeau, lunettes fumées, chandail et maillot de bain sont des atouts complémentaires pour vous protéger du soleil.

MESDAMES, LES HOMMES ÉTANT PARTICULIÈREMENT SUSCEPTIBLES DE BRONZER « EN HABITANT », C'EST À VOUS DE VOIR À CE QUE MONSIEUR SE CRÈME ADÉQUATEMENT pour ne pas vous faire voir au village avec un jambon rôti. Si vous possédez un spécimen velu, il serait sage de prévoir une crème solaire transparente à vaporiser qui sèche rapidement. Vous éviterez ainsi l'agglutinement inélégant de crème dans le poil.

LA PEAU DES ENFANTS ÉTANT PARTICULIÈREMENT SENSIBLE, CES DERNIERS SONT PLUS À RISQUE QUE LES ADULTES DE PRENDRE DES COUPS DE SOLEIL. Choisissez une crème adaptée aux enfants. Elles ne sont pas seulement plus coûteuses, elles sont aussi conçues pour leur peau fragile. Sachez aussi qu'on vous jugera comme étant un mauvais parent si vous exposez vos enfants de moins de trois ans au soleil entre 11 h et 16 h. De plus, la plupart des crèmes solaires sont contre-indiquées pour les enfants de moins de six mois. Informez-vous auprès de votre pharmacien. Habillez donc votre nourrisson tel un épouvantail: chapeau à large bord, vêtements amples qui couvrent les bras et les jambes, et gardez-le sous le parasol.

ON DEVRAIT SE CRÉMER DE 15 À 30 MINUTES AVANT DE SORTIR pour laisser la crème pénétrer, et en rajouter une couche 30 minutes après au cas où on aurait oublié un petit coin. Répétez également l'application après la baignade, si vous avez beaucoup transpiré, ou encore toutes les deux heures.

Recette pour réussir un crémage parfait

INGRÉDIENT : Crème solaire de bonne qualité, minimum FPS 30.

ÉTAPES : Je dose, je dépose et j'étale.

½ C. À THÉ POUR LE VISAGE ET LE DÉCOLLETÉ. Déposez la crème un peu partout, façon léopard : une touche sur le nez, dans le front, sur les joues, entre les seins (si vous en possédez), etc. Étalez ensuite en prenant soin de vous rendre jusqu'à la racine des cheveux, sans oublier les oreilles. Mesdames, pour le décolleté, assurez-vous de passer en dessous des bretelles et un peu sous le maillot au niveau de la poitrine.

1 C. À THÉ POUR LE DOS. Pour vous crémer seul, vous devez être souple. Utilisez votre main gauche pour crémer l'épaule droite et poussez sur votre coude pour descendre le plus bas possible en effectuant un mouvement d'essuie-glace de manière à couvrir la plus grande surface possible. Répétez l'opération de l'autre côté. De votre main la plus agile, remontez du bas vers le haut de la colonne vertébrale pour ainsi crémer le milieu du dos que vous n'avez pu atteindre avec votre essuie-glace.

½ C. À THÉ PAR BRAS. Déposez de petites quantités de crème un peu partout sur votre bras. Par des mouvements de friction circulaires, étalez la crème pour couvrir toute la surface du bras, sans oublier l'aisselle et la main. Répétez pour l'autre bras.

1 ½ C. À THÉ POUR LE VENTRE ET LE BAS DU DOS. Déposez la crème par touches successives et étalez en faisant des cercles sur le ventre pour ensuite, avec vos deux mains, rejoindre le bas du dos en passant par les flancs. Finissez le bas du dos en remontant jusqu'où votre jeunesse vous a permis de descendre lors de l'opération de crémage du dos.

1 C. À THÉ POUR CHAQUE JAMBE. Disposez la crème à divers endroits, comme dans les étapes précédentes, et étalez en faisant bien pénétrer. N'oubliez pas les pieds et tout l'arrière des jambes. Allez jusqu'aux fesses en dessous du maillot. Méfiez-vous si ce n'est qu'à cette étape que l'on vous propose de l'aide.

trucs et astuces

SI VOUS NE DISPOSEZ D'AUCUN PROCHE POUR VOUS APPLIQUER DE LA CRÈME SOLAIRE DANS LE DOS ET N'AVEZ PAS ENVIE DE VOUS DÉBOÎTER UNE ÉPAULE, FABRIQUEZ-VOUS UNE PROTHÈSE MAISON QUI SERA L'EXTENSION DE VOTRE BRAS. PRENEZ UNE GRANDE CUILLÈRE DE BOIS, FIXEZ-Y UN ESSUIE-TOUT ET DÉPOSEZ-Y UNE PETITE QUANTITÉ DE CRÈME. SERVEZ-VOUS-EN POUR ATTEINDRE TOUS LES ENDROITS DE VOTRE ANATOMIE QUI SONT INACCESSIBLES. ATTENTION ! CETTE MÉTHODE POURRAIT VOUS FAIRE PARAÎTRE UN BRIN NIAIS. À UTILISER AVANT DE SORTIR DU CHALET. EN DERNIER RECOURS, GARDEZ VOTRE CHANDAIL.

VOUS N'AVEZ PAS SUIVI NOS CONSEILS ET VOUS VOILÀ PRÊT À ÊTRE SERVI AU RED LOBSTER ? UN COUP DE SOLEIL EST UNE BRÛLURE ET IL N'Y A PAS DE REMÈDE MAGIQUE POUR ACCÉLÉRER SA GUÉRISON, OUTRE LE TEMPS.

Vous pouvez malgré tout vous soulager avec des analgésiques doux, tels l'ibuprofène ou l'acétaminophène. Attention, ne donnez pas d'aspirine aux enfants. Des bains tièdes, des compresses d'eau froide, des crèmes ou des laits hydratants peuvent également aider à atténuer la douleur. Il n'a par contre pas été prouvé qu'ils préviennent la desquamation. Notez que le beurre est totalement inapproprié, car il accroît les risques d'infection. Évitez aussi le savon sur les zones brûlées, car il pourrait accentuer l'irritation. Si la douleur ou le résultat visuel est intolérable, consultez un médecin.

Le saviez-vous ? Outre un crémage adéquat, il semblerait que manger des aliments contenant beaucoup de bêta-carotène aiderait à augmenter la résistance de la peau au soleil. N'hésitez donc pas à traîner votre sac de petites carottes partout avec vous en cas de fringale inopinée.

PLUS PRÉCISÉMENT, CONSULTEZ UN MÉDECIN SI :

➡ LE COUP DE SOLEIL FORME DES CLOQUES.

➡ LE VISAGE PRÉSENTE DE L'ŒDÈME.

➡ IL Y A PRÉSENCE DE NAUSÉES, FIÈVRE OU FRISSONS.

➡ LA PEAU EST DÉCOLORÉE ET FROIDE.

➡ LE POULS OU LA RESPIRATION EST RAPIDE.

➡ IL Y A PRÉSENCE DE MAUX DE TÊTE, CONFUSION, FAIBLESSE OU ÉTOURDISSEMENTS.

➡ IL Y A SIGNE DE DÉSHYDRATATION (SOIF, SÉCHERESSE DES YEUX ET DE LA BOUCHE).

➡ IL Y A SIGNE D'INFECTION DE LA PEAU (AUGMENTATION DE LA ROUGEUR, DOULEUR, ENFLURE OU PUS).

➡ LES YEUX SONT DOULOUREUX ET SENSIBLES À LA LUMIÈRE.

SAVOIR-VIVRE SUR LE LAC

Échelle de Priorité

LE PARTAGE DES VOIES NAVIGABLES EST LA CLÉ DU SAVOIR-VIVRE DES PLAISANCIERS. QU'ELLES SOIENT À VOILE OU À MOTEUR, TOUTES LES EMBARCATIONS DOIVENT COHABITER HARMONIEUSEMENT ENTRE ELLES, MAIS AUSSI AVEC LA FAUNE, LES NAGEURS, LES PLONGEURS, LES KAYAKISTES, LES VÉLIPLANCHISTES ET TOUS LES AUTRES AMATEURS D'EAU DOUCE.

« **CETTE DÉCHARGE DE TESTOSTÉRONE SONORE EST MALVENUE POUR LES GENS QUI DÉSIRENT PROFITER DU CALME DE LA NATURE.** »

RECONNAISSEZ-LE, CE SONT RAREMENT LES NAGEURS ET LES ADEPTES DE PÉDALO QUI POSENT PROBLÈME SUR LE LAC... Ce sont, dans la plupart des cas, les embarcations à moteur. En effet, si votre définition d'un après-midi d'été parfait est de vous élancer sur votre motomarine, *wakeboard* ou n'importe quelle embarcation bruyante, et d'écouter du boum-boum en faisant de la vague, soyez rassuré, vous ne paranoïez absolument pas: vos voisins vous haïssent.

CEUX QUI SE TROUVENT PLUS BAS QUE VOUS, OU QUI ONT UN PLUS PETIT MOTEUR OU PAS DE MOTEUR DU TOUT DEVRAIENT TOUJOURS AVOIR PRIORITÉ. Vous serez attentif à leur présence et leur céderez le passage sans qu'ils aient à le réclamer. Un conducteur courtois ne devrait jamais être une source de danger, de stress ou un irritant pour les autres, pour l'environnement ou la faune.

DIMINUEZ VOTRE EMPREINTE ÉCOLOGIQUE. Même si vous adorez les arcs-en-ciel, entretenez avec soin votre moteur pour éviter les déversements de carburant et d'huile dans l'eau. Privilégiez les moteurs à quatre temps qui sont moins polluants et moins bruyants que ceux à deux temps. Encore mieux, optez pour un moteur électrique ou encore un canot... quoique moins pratique pour le ski nautique.

ENSUITE, RÉDUISEZ LE BRUIT AU MINIMUM. Hurler votre virilité et démontrer votre puissance par l'entremise de votre moteur hors-bord 200 CV peut vous faire oublier momentanément vos problèmes de dysfonction érectile, c'est vrai, mais cette décharge de testostérone sonore est malvenue pour les gens qui désirent profiter du calme de la nature. La moindre des choses est d'équiper votre embarcation motorisée d'un silencieux conçu pour réduire au minimum le bruit du système de propulsion. En outre, les systèmes d'avertissement sonore doivent être utilisés uniquement en situation d'urgence et non pour manifester sa joie ou en guise de réponse à un ami qui vous fait signe au bout du quai. Et, surtout si vous êtes près de la berge, baissez le volume de votre système de son et réduisez votre vitesse: certains préfèrent les bruits de la nature aux hits de l'heure.

NE FAITES PAS DE VAGUES. LITTÉRALEMENT. En plus de contribuer aux risques d'accident, les vagues représentent une des causes principales de l'érosion des rives. Les vagues sont aussi très désagréables quand on se fait bronzer sur le quai: l'eau entre par les fentes et vient arroser la peau brûlante, provoquant ainsi un réveil brutal.

SUIS-JE STUPIDE ET DANGEREUX ?

C'est moi

☐ **A** Je conduis une embarcation avec un moteur tournant à haut régime en effectuant des virages serrés ou entrecroisés pour des périodes de temps prolongées au même endroit.

☐ **B** J'adore sauter des vagues ou le sillage d'autres embarcations en venant plus près de ces dernières qu'il n'est raisonnable ou de manière à causer un régime excessif du moteur produisant un niveau de bruit inhabituel ou excessif.

☐ **C** Me faufiler au travers d'une circulation dense sans réduire ma vitesse en conséquence me fournit une agréable montée d'adrénaline.

☐ **D** Attendre à la toute dernière minute pour éviter un abordage en mettant la barre tout d'un côté en catastrophe me fait sentir vivant.

☐ **E** J'aime conduire une embarcation à une vitesse supérieure à celle requise pour maintenir la gouverne lorsque je suis à proximité de baigneurs ou d'embarcations non motorisées.

RÉSULTAT AU TEST

VOUS AVEZ RÉPONDU « *C'est moi* » À LA MAJORITÉ DES ÉNONCÉS ?

Selon l'article 1007 du Bureau de la sécurité nautique, vous êtes effectivement stupide et dangereux.

COMMENT MONTER DANS UN CANOT ?

 Positionnez votre pagaie perpendiculairement au canot en appuyant la pale de la pagaie sur la rive. Agrippez les bords du canot en même temps que vous tenez la pagaie fermement contre celui-ci.

 Mettez un pied dans l'axe du canot et transférez le poids de votre corps sur ce dernier en tenant avec force votre pagaie.

 Mettez-vous à genoux et constatez que vous êtes placé dans le mauvais sens...

PAGAIE, AVIRON OU RAME ? En kayak, on utilise une pagaie. Jusque-là, tout va bien. Ce sont les Français, quand ils ont commencé à s'intéresser à ce moyen de locomotion, qui ont tout mélangé. Ils ont nommé pagaie tout ce qui ressemblait à «une rame légère et courte», que ce soit en kayak, en gondole ou en canot (ils disent aussi canoë, mais c'est une autre histoire). Au Québec, on utilise davantage le terme aviron, comme dans la chanson bien connue «C'est l'aviron qui nous mène, qui nous mène...» Cependant, «pagaie» est de plus en plus utilisé, l'aviron désignant maintenant plus précisément une pagaie en bois pour le canotage en eau calme. La rame, elle, est fixée sur une chaloupe.

COMMENT S'INSTALLER SUR UNE TRIPE OU UN MATELAS GONFLABLE ? L'astuce est de vous positionner pour que votre poids soit rapidement réparti sur la surface de l'objet flottant. Si vous n'y mettez qu'un pied ou un genou, vous risquez de le faire basculer et de vous retrouver à l'eau. Vous pouvez donc:

 Vous y élancer doucement sur le ventre.

 Vous y laisser choir délicatement sur le dos en vous assurant au préalable que votre esquif est toujours là pour vous accueillir.

Les règles de la route

VOUS ÊTES SÛREMENT DÉJÀ ARRIVÉ FACE À FACE AVEC QUELQU'UN ET, POUR L'ÉVITER, AVEZ CHANGÉ DE TRAJECTOIRE TANDIS QUE L'AUTRE, CET IDIOT, A BIFURQUÉ DU MÊME CÔTÉ QUE VOUS, VOUS ENGAGEANT AINSI DANS UNE PETITE DANSE GÊNANTE DE « VAS-Y, NON TOI, VAS-Y ». EN PLUS DE FAIRE DE VOUS UN PLAISANCIER COURTOIS, SÉCURITAIRE ET POLI, CONNAÎTRE LES RÈGLES DE LA ROUTE EST UNE EXIGENCE LÉGALE QUI S'APPLIQUE DANS TOUTES LES EAUX NAVIGABLES ET CONCERNENT TANT LE PÉDALO QUE LE MÉGA YACHT.

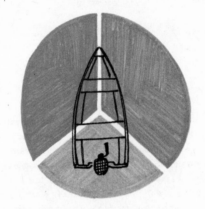

BÂBORD : Si une embarcation munie d'un moteur s'approche de vous de ce côté (à gauche), maintenez le cap et votre erre.

TRIBORD : Si une embarcation s'approche de vous de ce côté (à droite), changez de cap ou cassez votre erre au besoin afin de dégager la voie pour cette embarcation. (N.B. Ce règlement n'est pas toujours valable si au moins un des bateaux est un voilier.)

POUPE : Si une embarcation s'approche de vous de ce côté (par l'arrière), maintenez avec prudence votre cap et votre erre.

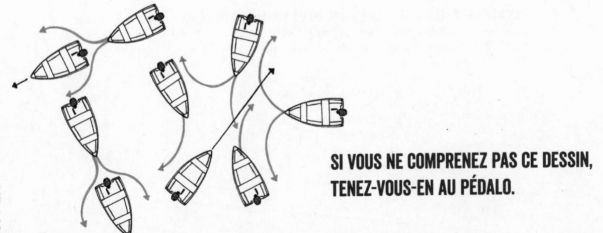

SI VOUS NE COMPRENEZ PAS CE DESSIN, TENEZ-VOUS-EN AU PÉDALO.

La communication en ski nautique

LE CODE EST UTILISÉ PARTOUT AU CANADA ET AUX ÉTATS-UNIS. VOUS AUREZ L'AIR D'UN PRO...
AU MOINS DANS LA GESTUELLE.

 PLUS VITE : pouce vers le ciel, vifs mouvements ascendants de la main.

 MOINS VITE : pouce vers le bas, vifs mouvements descendants de la main.

 **VIRAGE :** mouvement circulaire de la main, index pointé vers le ciel, puis bras tendu dans la direction du virage.

 RETOUR AU PONTON DE DÉPART : tape sur le sommet du crâne.

 COUPER LE MOTEUR : paume vers le bas, mouvement latéral de la main à la hauteur de la gorge. Signal d'arrêt immédiat du bateau donné par le skieur, le conducteur ou le passager.

 OK : «O» formé avec le pouce et l'index pour indiquer que la nouvelle vitesse ou la nouvelle trajectoire convient parfaitement au skieur. Ce signal est aussi utilisé par le skieur ou le passager pour indiquer qu'il a bien reçu le signal donné par l'autre.

 **TOUT VA BIEN :** signal le plus important par lequel un skieur indique que tout va bien après une chute. Les deux mains jointes au-dessus de la tête.

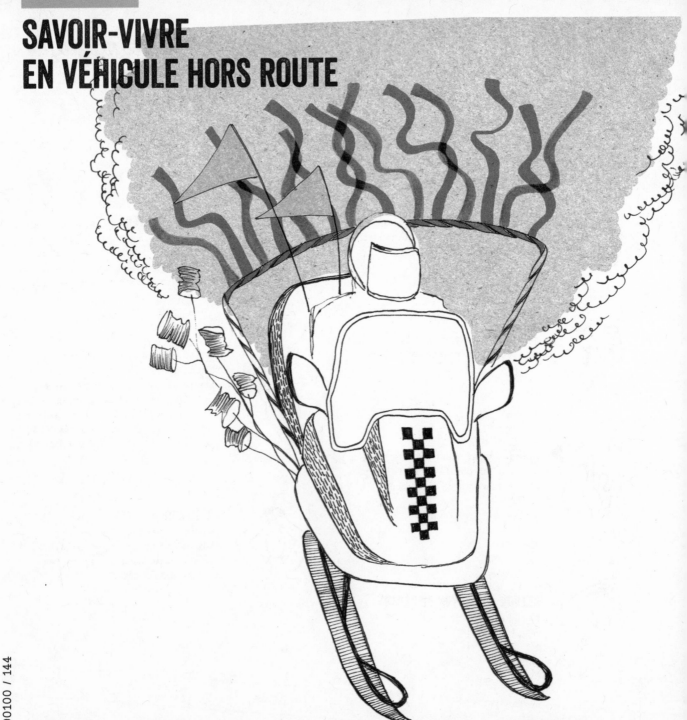

UN VÉHICULE HORS ROUTE (VHR) EST UN VÉHICULE MOTORISÉ QUI CIRCULE... EN DEHORS DE LA ROUTE, C'EST-À-DIRE EN DEHORS DES CHEMINS PUBLICS. CETTE DÉFINITION CIBLE PRINCIPALEMENT LES VÉHICULES TOUT-TERRAIN (VTT) À TROIS OU QUATRE ROUES (AUSSI APPELÉS « QUADS ») ET LES MOTONEIGES (AUSSI APPELÉES « SKIDOO »), MAIS LES AMATEURS DE MOTOCROSS SONT AUSSI INVITÉS À SE SENTIR CONCERNÉS PAR LES CONSEILS QUI SUIVENT.

« N'ENTREZ PAS EN MOTONEIGE DANS UNE PISTE DE SKI DE FOND OU EN QUAD DANS UN CHAMP DE BLÉ D'INDE. »

1 Circulez toujours de manière sécuritaire et dans le respect de la nature. Amateurs de véhicules tout-terrain, motocross ou motoneiges, soyez conscients que vous êtes probablement les usagers de la forêt les moins en adéquation avec l'environnement. Le savoir-vivre reste de loin votre meilleur allié pour maintenir des relations conviviales.

2 Ne roulez que sur les sentiers balisés et ouverts au public, et quand vous ouvrez des barrières, refermez-les. Si vous entendez un coup de feu à proximité et que ce n'est pas la saison de la chasse, vous êtes peut-être sur un chemin privé.

3 N'entrez pas en motoneige dans une piste de ski de fond ou en quad dans un champ de blé d'Inde. Bifurquer dans un sous-bois ou encore pire dans un secteur en régénération est un manque flagrant de savoir-vivre.

4 Ne traversez jamais les rivières ou les marais, et ne pourchassez pas les animaux. Ces pauvres bêtes sont déjà stressées par votre seule présence.

5 Ne laissez pas d'autres traces que celles que laisse votre véhicule dans le sol meuble et rapportez tous vos détritus.

6 Courtoisie et prudence sont de mise lorsque vous dépassez ou croisez un randonneur pédestre ou équestre. Ce dernier a la priorité. Le parfait gentleman se rangera sur le côté et enlèvera son casque pour saluer et laisser passer les promeneurs.

7 Ralentissez lorsque vous arrivez près des zones habitées. Vous devez apporter une attention particulière à la sécurité des gens qui partagent les lieux que vous fréquentez, et toujours être soucieux d'améliorer la cohabitation avec les riverains des sentiers.

8 Ne circulez pas à moins de 30 mètres d'une résidence et essayez de rester le plus discret possible, même si ce n'est pas dans votre personnalité. Vous ne vous ferez certainement pas d'amis avec un silencieux défectueux.

9 Ne transportez jamais plus de passagers que la capacité indiquée par le fabricant de votre monture. Si vous ne connaissez pas cette information, un seul passager peut prendre place avec vous sur votre motoneige, et aucun sur un VTT.

10 Parce que quelqu'un, quelque part, tient à vous... Il est vivement recommandé de vous familiariser avec les commandes et les situations potentiellement problématiques AVANT de partir en excursion. Pour plus de sûreté, tout nouveau conducteur, même adulte, devrait suivre une formation: tant de gens mélangent frein et accélérateur dans l'énervement.

AUTOUR
DU FEU

AU CHALET, LE FEU EN SOIRÉE EST UN CLASSIQUE. COMME UN RETOUR DANS LE TEMPS OÙ, AVANT L'AVÈNEMENT DE LA TÉLÉVISION, LES GENS SE RETROUVAIENT POUR UN MOMENT DE DÉTENTE CONTEMPLATIVE, DE RÉCRÉATION ET DE PROPAGATION DE LA CULTURE ORALE. LE FEU EST UN DES SYMBOLES DE LA VIE: IL NAÎT, IL VIT, IL MEURT, ET IL DEMANDE COMPÉTENCE ET PATIENCE À CHACUNE DES ÉTAPES DE SON EXISTENCE. FEU QUI NOURRIT, FEU DE VEILLÉE OU DE FÊTE, VAUT TOUJOURS MIEUX UN PETIT FEU QUI RÉCHAUFFE QU'UN GRAND FEU QUI BRÛLE. OUI, BIEN PLUS QUE D'ÉLOIGNER LES MOUSTIQUES ET DE VOUS CHAUFFER, LE FEU CRÉE AUSSI DE LA CHALEUR HUMAINE.

AU MÊME TITRE QUE L'APÉRO, MAIS SANS L'ANGOISSE DE DEVOIR GARDER LES CONVIÉS À SOUPER, le feu constitue une bonne occasion de rendre des invitations aux gens du coin sans avoir trop à faire. On lance l'invitation simplement la journée même: «Ce soir, après le souper, on fait un feu près de la plage. Si ça vous intéresse de vous joindre à nous, vous êtes les bienvenus!» Il va sans dire qu'il s'agit d'une invitation sans cérémonie, tambours ni trompettes. La guitare, par contre, instrument convivial par excellence, se prête à merveille à ce genre d'événement.

POUR UNE SOIRÉE PLUS RÉUSSIE, ASSUREZ-VOUS PRÉALABLEMENT QUE VOUS AVEZ L'AUTORISATION DE FAIRE UN FEU et renseignez-vous sur les avertissements de danger d'incendie en vigueur pour votre secteur. Avant l'arrivée des invités, choisissez un emplacement et allumez votre feu. Vous serez ainsi moins nerveux, surtout si vous en êtes à vos premières armes. Quand les veilleux arriveront, vous pourrez les accueillir avec un feu déjà bien entamé sans subir les conseils de gérants d'estrade sur l'art et la manière de faire s'enflammer la bûche.

POUR QUE TOUS PUISSENT PRENDRE LEURS AISES, LE LIEU DE LA VEILLÉE DOIT ÊTRE AGRÉABLE ET SÉCURITAIRE. Pour ce faire, n'installez pas votre feu dans une pente. Mais si vous n'avez d'autre choix et que la pente est douce, installez-le au moins en contre-bas. Selon l'âge des fêtards, proposez-leur des chaises pliantes, des bancs ou des bûches. Mettez également à la disposition des convives des couvertures, advenant le cas où votre feu ne dégagerait pas la chaleur voulue. Évitez les endroits trop exposés au vent: des flammèches pourraient brûler les convives ou déclencher un incendie. Attention, les sièges ne doivent pas être fixes, car on doit pouvoir les bouger au gré du vent pour éviter la fumée. On ne doit pas non plus faire le feu trop près du lac à cause de l'humidité, mais aussi parce qu'après deux heures de veillée, les yeux sont déshabitués à l'obscurité et le sens de l'orientation peut être affecté. Éloignez-vous aussi du chalet, de la *shed* ou des arbres.

C'EST À LA PERSONNE LA PLUS EXPÉRIMENTÉE EN LA MATIÈRE QUE REVIENT LE RÔLE DE MAÎTRE DU FEU. En tant que responsable du feu, ce dernier doit distribuer les tâches : aller chercher du petit bois, des bûches, de l'amadou, de l'écorce, faire un cercle de pierres, creuser un trou… bref, tout ce qu'il convient de faire pour le type de feu qu'il envisage. Allumer un feu est un art. Ne devient pas Maître es feu qui veut. Que les choses soient claires : on ne fait pas mine de savoir faire un feu si on ne sait pas vraiment faire un feu, car vous serez rapidement démasqué. Ce n'est pas parce que vous avez vu quatre fois *Les Survivants* que vous êtes un expert. Au chalet, parce qu'il connaît les lieux, son matériel et ses ressources, c'est habituellement l'hôte qui assume le rôle de maître du feu, à moins qu'il ne confie cet honneur à un tiers. Il nourrit le feu quand ce dernier le demande, et s'il venait à s'absenter, il passe le flambeau à quelqu'un de confiance. Si vous avez été mandaté pour nourrir le feu, prenez soin de déposer la bûche délicatement à un endroit stratégique pour ne pas éclabousser vos voisins : des éclaboussures de feu, ce n'est pas très agréable.

UNE FOIS LE FEU BIEN ENTAMÉ, VOUS POURREZ COMMENCER L'ANIMATION. Certains convives vous seront particulièrement utiles pour animer votre soirée autour du feu. Vous penserez donc à inviter :

➡ Un chansonnier et sa guitare. Très pratique parce que complet. Le joueur de tam-tam ne chante habituellement pas.

➡ Quelqu'un qui connaît beaucoup d'histoires drôles.

➡ Une personne âgée qui raconte des histoires du bon vieux temps. Cette suggestion n'est valide que si vous êtes en famille ou dans un groupe multiâge.

➡ Un conteur. Attention aux conteurs qui ne renouvellent pas leur répertoire et content toujours les mêmes histoires.

SI VOUS NE POSSÉDEZ PAS UN DE CES INVITÉS CLÉS, ET QUE VOUS ÊTES VOUS-MÊME UN PEU DRABE, munissez-vous au préalable d'anecdotes, de devinettes, d'énigmes, de leçons de vie, de légendes ou d'adages à saupoudrer ici et là pour égayer la soirée.

PRÉVOYEZ AUSSI UNE PETITE COLLATION comme les classiques guimauves et saucisses à griller.

AUTOUR DU FEU, QU'EST-CE QU'ON BOIT ?

La bière est une valeur sûre (à la bouteille, bien entendu). Vous pouvez aussi offrir un digestif classique, telle la crème de menthe, ou encore un café alcoolisé. Pour un accord vin et feu parfait, on recommande des vins boisés élevés en fût ou encore les vins aux parfums empyreumatiques. À titre d'exemple, un sauternes aux arômes grillés se marierait à ravir aux guimauves carbonisées. Si vous optez pour quelque boisson plus fortement alcoolisée, vous risquez d'écourter votre soirée, car le plein air, la chaleur du feu et l'alcool forment ensemble un excellent somnifère. Prévoyez des boissons gazeuses ou du chocolat chaud pour les plus jeunes.

« QUELLE JOIE QUE DE TROUVER LA BRANCHE PARFAITE POUR JOUER DANS LE FEU. EN FAISANT CHAUFFER LE BOUT À BLANC ET EN LA FAISANT TOURNOYER À GRANDE VITESSE, VOUS POURREZ PRODUIRE UN CHARMANT PETIT SPECTACLE LASER MAISON. »

COMMENT APPRÊTER UNE GUIMAUVE ?

Placez votre guimauve au bout d'un bâton assez long et pas trop sec, et grillez-la au-dessus du feu. Le but est d'en caraméliser la surface et d'en liquéfier le cœur. Prenez garde, les guimauves grillées sont chaudes et très collantes. Pour une caramélisation uniforme, ne mettez pas votre guimauve directement au-dessus des flammes, mais plutôt au-dessus de la braise, à une certaine distance, pour éviter qu'elle ne prenne en feu. Tournez de façon régulière jusqu'à ce que toute la surface soit colorée. Vous pouvez en outre, si vous le souhaitez, faire prendre votre guimauve en feu, vous créant ainsi une petite torche fort amusante. Quand vous serez lassé de cette activité, soufflez sur votre guimauve, puis retirez la couche carbonisée (il paraît que c'est cancérigène) avant d'enfourner ce qu'il en reste.

Quelle joie que de trouver la branche parfaite pour jouer dans le feu ! En faisant chauffer le bout à blanc et en la faisant tournoyer à grande vitesse, vous pourrez produire un charmant petit spectacle laser maison. Toutefois, en présence de trop d'enfants énervés, cette activité doit être soit interdite, soit étroitement encadrée par des adultes en état de le faire. De même, assurez-vous que ceux qui auraient consommé trop de bière chaude restent un peu à l'écart. Le feu attire la jeune personne en état d'ébriété comme un beau « call » d'orignal. Pour finir, le dernier à partir devra impérativement être responsable d'éteindre complètement le feu. Le tout doit être froid, car un feu n'est jamais mort tant qu'il est chaud.

RECEVOIR

AU
CHALET

RECEVOIR AU CHALET

RECEVOIR
VERSUS COHABITER

Pourquoi diable
vouloir recevoir
quand, seul, on peut manger
à même la "canne de bines"
et flatuler
sans vergogne ?

EN AUCUN CAS, VOUS NE DEVEZ CONFONDRE « RECEVOIR » ET « COHABITER ». « RECEVOIR » IMPLIQUE UNE GRANDE RESPONSABILITÉ DE VOTRE PART ET FAIT APPEL À VOS QUALITÉS DE CAPITAINE, TANDIS QUE « COHABITER » PLACE TOUT LE MONDE À ÉGALITÉ DANS LE MÊME BATEAU.

VOUS NE POURREZ VOUS EFFONDRER DANS LE SOFA POUR PARLER DANS LE DOS DES GENS UNE FOIS LA SOIRÉE TERMINÉE, CAR ILS SERONT ENCORE LÀ. ET LE LENDEMAIN MATIN : ILS SERONT TOUJOURS LÀ !

En tant que maître ou maîtresse du chalet, il sera de votre responsabilité que tout se passe bien et que chacun soit heureux. Le plaisir et le confort de vos convives passeront avant les vôtres. À cause de la distance qui les sépare de leur lieu de résidence, lorsqu'on invite des gens à la campagne, on les garde habituellement au moins une nuit. Recevoir au chalet est donc plus impliquant qu'une simple invitation à souper à la maison. Vous ne pourrez vous effondrer dans le sofa pour parler dans le dos des gens une fois la soirée terminée, car ils seront encore là. Et le lendemain matin: ils seront toujours là !

Pourquoi diable vouloir recevoir quand, seul, on peut manger à même la « canne de bines » et flatuler sans vergogne ? Parce que nous sommes des animaux grégaires et que nous aimons partager les joies de la vie avec ceux de notre espèce. Accueillir des gens chez soi demande certes un effort, mais le jeu peut en valoir la chandelle. Posséder un chalet vous permet entre autres de recevoir de la bonne compagnie et de gagner à des jeux-questionnaires dont vous avez appris par cœur les réponses, mais cela fait aussi de vous quelqu'un de spécial muni d'un atout pour briller auprès de vos pairs.

En effet, une foule de raisons pragmatiques et valables peuvent vous pousser à lancer une invitation. Recevoir un groupe d'amis permet de rendre plusieurs invitations d'un coup ou encore de prendre de l'avance sur vos obligations mondaines. Assurément, inviter vos proches pour quelques jours vous dispensera d'avoir à le faire pendant un certain temps. Vous pouvez de même vous servir de votre résidence secondaire pour appâter des clients potentiels ou tenter d'obtenir une promotion en impressionnant votre patron. C'est une occasion en or pour mêler affaires et agrément. Nombre d'ententes politiques et d'importants contrats se sont discutés à la campagne. La nature adoucit les mœurs et peut vous montrer sous un jour décontracté et sympathique. Rehausser votre standing et emmerder ceux qui n'ont pas de chalet peuvent aussi faire partie des motifs qui vous poussent à recevoir, mais c'est un peu moins noble.

Qui inviter?

ACCUEILLIR DES AMIS PROCHES OU, AU CONTRAIRE, DES PERSONNES QUI VOUS SONT MOINS FAMILIÈRES NE NÉCESSITE CERTAINEMENT PAS LA MÊME SOMME D'ÉNERGIE ET DE PRÉPARATION. PAR CONTRE, LA CONSTANTE EST VOTRE IMPUTABILITÉ QUANT À L'ORGANISATION DU SÉJOUR.

DE MANIÈRE GÉNÉRALE, VOTRE DISPOSITION À DÉLÉGUER ET À RELAXER DEVRAIT ÊTRE PROPORTIONNELLE AU DEGRÉ D'INTIMITÉ QUE VOUS ENTRETENEZ AVEC VOS CONVIVES. Ainsi, si vous invitez un groupe d'amis, vous pouvez répartir la préparation des repas ou leur demander d'accomplir certaines tâches. En revanche, ne proposez pas à votre patronne et à son conjoint de s'occuper de toute la gestion du BBQ, à moins qu'ils n'insistent et que la chose semble les amuser au plus haut point.

VOUS AVEZ VOTRE CONCEPT DE SÉJOUR EN TÊTE, SOYEZ CLAIR DANS VOTRE INVITATION. Qui invitez-vous? Gilles, Ginette, sa mère, les enfants, le chien… ou seulement Gilles? Être précis dès le départ vous évitera tout malaise et malentendu. Ainsi, vous n'aurez pas la mauvaise surprise de voir débarquer les enfants de Martin à l'enterrement de vie de garçon de Jean. Également, toute bonne chose a un début, et une fin. Dites à vos invités l'heure à laquelle vous les attendez, et quand vous espérez les voir quitter. Cette précision essentielle vous évitera d'avoir à faire sentir à vos invités, le dimanche à 19 h, que leur présence n'est plus souhaitée.

LA QUALITÉ DU SÉJOUR DÉPENDRA, EN GRANDE PARTIE, DU COURANT DE SYMPATHIE QUI S'ÉTABLIRA ENTRE LES CONVIVES. Si vous choisissez bien vos invités, vous passerez sans doute un moment passablement agréable. Le but de l'opération est de réunir des gens différents, mais partageant un intérêt commun et qui pourront se supporter (et éventuellement avoir du plaisir) pendant au moins 24 heures dans une ambiance conviviale et harmonieuse. Réfléchissez bien avant de lancer vos invitations et faites l'exercice de visualiser vos invités, au petit matin, en train de déjeuner. Sont-ils heureux? Évitez tout agencement douteux susceptible de créer des frictions. Gardez-vous, par exemple, de réunir des nouveaux couples ou des célibataires avec des couples ayant des enfants, à moins que vous ne soyez certain que tous sont avertis et s'en accommodent. Abstenez-vous également de rassembler une majorité de personnes issues du même milieu professionnel ou qui partagent une passion commune avec une minorité n'ayant pas les mêmes inclinaisons. Avez-vous déjà essayé d'avoir une conversation signifiante avec des amateurs de sport qui regardent un match des séries? Ou avec des avocats spécialisés en droit autochtone? Votre amour-propre risque d'en souffrir. Si un des convives traverse une période difficile et que vous souhaitez l'inviter pour lui changer les idées, informez-en les autres pour éviter les impairs, tel le classique: « Comment va ta femme? - Elle vient de mourir. » Épargnez aussi à vos amis les *blind-dates* de trois jours, surtout si les victimes s'en doutent et que l'assortiment n'est pas parfait. Elles trouveront le temps long et vous aussi.

Ne négligez pas l'invitation. Que vous ayez déjà fait les premiers pas de vive voix ou au téléphone, envoyez toujours un mot écrit pour confirmer officiellement votre invitation. Vous devez y inclure tous les renseignements pertinents: coordonnées, dates, itinéraire. Mentionnez également les autres personnes que vous avez invitées s'il y a lieu. Cela donnera l'occasion aux gens de s'inventer une excuse s'il ne s'agit pas de la combinaison gagnante que vous imaginiez. Aussi, donner un itinéraire précis à vos invités vous évitera de les voir arriver à la nuit tombée, le sourire envolé. Sachez que les indications données par les moteurs de recherche sur internet ne valent pas grand-chose dans les chemins de terre reculés. Assurez-vous, particulièrement l'hiver, que le chemin est praticable et sécuritaire. Indiquez également les activités possibles et, par conséquent, les tenues à prévoir: souliers de marche, maillot de bain, *chaps* de cuir... Vous enverrez un petit rappel quelques jours avant, en précisant la température annoncée ainsi que l'heure à laquelle vous attendez les invités.

>>> Bernard et Bianca <<<

seraient très heureux de vous recevoir pour la fin de semaine du [INSÉRER LA DATE] à leur chalet de [PRÉCISER LE VILLAGE].

Promenade en nature, baignade, cueillette de champignons et repas au grand air sont quelques-uns des plaisirs simples dont vous pourrez profiter en compagnie de [LE NOM DES INVITÉS] qui seront également parmi nous.

RSVP.

[VOS COORDONNÉES]

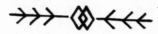

Être paré à toute éventualité

NE COMPTEZ JAMAIS SUR LES CADEAUX D'HÔTE POUR RENFLOUER VOTRE BAR. De toute façon, il n'est pas dit que vous recevrez de l'alcool, on vous offrira peut-être un joli pot-pourri. Si vous espérez une quelconque contribution de vos invités, dites-le-leur clairement. Vous pouvez néanmoins séparer le bon grain de l'ivraie en constatant ce que l'on vous apporte.

RENSEIGNEZ-VOUS SUR LES PARTICULARITÉS DE VOS INVITÉS. Il serait bête de faire une immense épicerie pour vous rendre compte par la suite que la fille de Julie est allergique aux noix, aux produits laitiers, aux fraises ainsi qu'à une trentaine d'autres choses, et que Sébastien est devenu végétarien après une révélation mystique lors de son voyage en Inde.

ASSUREZ-VOUS D'AVOIR TOUT EN QUANTITÉ SUFFISANTE : serviettes, couvertures, oreillers, lits... Si vous constatez que vous manquez de lits, c'est probablement que vous vous êtes laissé emporter et avez invité trop de monde. Notez que le besoin de confort s'accroît généralement avec l'âge. À 18 ans, le bain peut être considéré à la rigueur comme un endroit où coucher, la proximité de la toilette pouvant s'avérer profitable pour la jeune personne avinée. Pour le convive de 50 ans, on doit généralement prévoir un lit moelleux, deux oreillers confortables (un pour la tête, un pour le côté), un loup, des bouchons pour les oreilles, des mouchoirs, des mots croisés et une carafe d'eau sur la table de chevet. Décidez à l'avance de l'attribution des chambres en pensant à la meilleure façon d'optimiser le bien-être de chaque convive. Faites chacun des lits en prévoyant des couvertures supplémentaires pour les plus frileux.

AVANT L'ARRIVÉE DES INVITÉS, FAITES EN SORTE QUE LE CHALET SOIT D'UNE PROPRETÉ IMPECCABLE, même si votre chalet est tellement vieux que vous avez l'impression que personne ne fera la différence entre sale et pas sale.

trucs et astuces

SI VOUS AVEZ UNE PERSONNALITÉ OBSESSIVE-COMPULSIVE, VOUS METTREZ, DANS CHACUNE DES CHAMBRES, DES SERVIETTES ET UNE SAVONNETTE POUR LA DOUCHE, UN JOLI BOUQUET DE FLEURS DES CHAMPS, UNE BOUTEILLE D'EAU, DES MOUCHOIRS ET QUELQUES ROMANS HARLEQUIN SUR LA TABLE DE CHEVET. FAIRE UN FEU DANS LE FOYER L'HIVER CRÉERA ASSURÉMENT UNE AMBIANCE DOUILLETTE. VOUS POUVEZ AUSSI INSÉRER DANS LE LECTEUR UN DE CES DVD DE FEU DE FOYER TRÈS CONVAINCANT.

LES INVITÉS SONT LÀ, ILS SONT VENUS ! VOUS ÊTES FÉBRILE, MAIS LAISSEZ-LEUR QUAND MÊME LE TEMPS D'ARRIVER. AIDEZ-LES À DÉCHARGER LA VOITURE. Montrez-leur leur chambre et encouragez-les à se mettre à l'aise et à venir vous rejoindre par la suite. Ils ont peut-être fait un long trajet en voiture, alors indiquez-leur où se trouvent les toilettes. Faites visiter le chalet pour que tous puissent se repérer. Prévoyez un premier repas simple, léger et rapide d'exécution; vous ne savez pas exactement quand et dans quel état ils arriveront. Si ce n'est pas l'heure du repas, offrez une boisson adaptée au moment de la journée et installez-vous confortablement au salon ou dehors, selon la température. N'organisez pas d'activités élaborées dès l'arrivée des convives. Prenez la mesure de l'humeur du groupe. Entretenez-les de ce que vous avez coutume de faire au chalet en passant sous silence, si ce ne sont pas des intimes, votre classique balade nue de communion avec la nature.

À LA CAMPAGNE, ON REÇOIT SIMPLEMENT. Personne ne s'attend à être accueilli de manière fastueuse (si c'est le cas, ne réinvitez plus ces gens pesants). La présence de vos invités ne doit pas occasionner de grands bouleversements dans vos habitudes. En tous les cas, feignez la facilité en donnant l'impression à vos hôtes qu'ils n'entraînent aucune charge de travail supplémentaire. Au cours de leur séjour, soyez prévenant avec tous, mais n'importunez personne. Si vous sentez vos invités autonomes, ne soyez pas constamment dans leur dos, telle une ombre prête à bondir au moindre besoin. Mettez-les à l'aise de se servir eux-mêmes dans le frigo, par exemple. Le but est de donner à chacun l'impression d'être chez soi, mais loin de ses préoccupations quotidiennes.

LE GRAND AIR SUSCITE SOUVENT UN BEL APPÉTIT. LORS DES REPAS, L'AMBIANCE DOIT ÊTRE LÉGÈRE ET SANS CÉRÉMONIE. Privilégiez des repas simples, conviviaux et réconfortants qui ne demandent que peu de temps en cuisine. En hiver, on favorise un type de cuisine « après-ski »: soupes, plats au four, mijotés, fondues, raclette… C'est le moment de puiser dans vos classiques et non pas de vous casser la tête en tentant une nouvelle recette de cuisine-fusion. Si vous faites un rôti, vous pouvez récupérer les restes pour faire des sandwichs le lendemain midi. Prévoyez plusieurs types de boissons chaudes: grog, chocolat chaud, café ou infusions. L'été: BBQ, fruits de mer et salades sont de mise. Cuisinez avec les légumes et les fruits de saison et pourquoi pas avec ce qui se trouve autour de votre chalet? Fruit de la pêche (ou de la chasse), fines herbes, petits fruits, champignons… Soyez prudent, néanmoins, avec les champignons ou autres plantes que vous ramassez, si vous ne voulez pas que votre omelette vous fasse revivre les belles, mais intenses années de Woodstock. Le matin, levez-vous un peu plus tôt que tout le monde pour préparer le déjeuner et le café ou, au pis aller, faites-le la veille si vous dormez avec des bouchons et n'avez pas l'habitude de vous lever avant midi. Dans cet esprit, la formule « tout au centre de la table » en libre-service peut être pratique.

L'ART
DE LA TABLE

ASSURÉMENT, ON MESURERA VOS QUALITÉS D'HÔTE À LA FACILITÉ ET À LA GRÂCE QUE VOUS AUREZ À DRESSER UNE JOLIE TABLE ACCUEILLANTE EN UN TOURNEMAIN. METTRE LA TABLE AU CHALET DOIT SE FAIRE RAPIDEMENT ET TOUT NATURELLEMENT DANS UNE AMBIANCE DÉCONTRACTÉE, CONVIVIALE ET CHALEUREUSE. RAPPELEZ-VOUS QUE VOUS ÊTES AU CHALET ET QUE VOS INVITÉS, SURTOUT S'ILS SONT DÉJÀ À VOS CÔTÉS, APPRÉCIERONT SANS DOUTE UNE FLEXIBILITÉ QUANT AU DÉCORUM HABITUEL. METTRE LA TABLE PEUT ALORS CONSTITUER UN BON MOYEN DE LES OCCUPER TOUT EN PROMOUVANT DES VALEURS D'ENTRAIDE, DE PARTAGE ET DE SIMPLICITÉ PROPRES À LA VIE À LA CAMPAGNE. SACHEZ, PAR CONTRE, QUE SI VOUS ABANDONNEZ CETTE TÂCHE AU PROFIT D'UN NÉOPHYTE, VOUS DEVREZ VOUS RETENIR DE PASSER DERRIÈRE POUR REPLACER LES COUVERTS, MÊME SI UN COUTEAU POSÉ À GAUCHE VOUS FEND LITTÉRALEMENT LE CŒUR.

À moins que vous ne possédiez un manoir ancestral et que vous y conserviez cristal et argenterie de famille, il est fort probable, voire normal, que votre chalet soit pourvu de vaisselle et d'ustensiles dépareillés: des verres de moutarde et de Nutella, deux ou trois assiettes brunes, quelques vertes, des coupes de différentes grandeurs, etc. Rassurez-vous, c'est très tendance et vous pourriez même faire croire que c'est voulu. L'important est qu'à table, chaque convive dispose d'items équivalents: une grande assiette, une assiette pour l'entrée, fourchette, couteau, verre à eau, verre à vin. Notez que votre verre à eau peut être un verre de moutarde, mais qu'il est beaucoup plus agréable de boire son vin dans un verre à vin. Arrangez l'ensemble pour qu'il soit harmonieux en alternant les formes, les motifs et les couleurs.

N'intimidez pas vos invités avec une kyrielle d'ustensiles de chaque côté de l'assiette. Vous n'êtes pas au Bal de la Jonquille. Vous aurez, tout au plus, deux ou trois services: entrée simple, plat, dessert ou fromage. Privilégiez le style «à la bonne franquette»: les plats seront servis directement sur la table et non à l'assiette comme au restaurant. Pour attirer les compliments, créez plutôt du relief sur votre table en variant les hauteurs des plats proposés. Une assiette posée sur un bol retourné fait un joli support pour une tarte, une quiche ou un gâteau. Servez-vous de ce que vous avez sous la main pour la présentation des mets: des planches à découper pour les charcuteries ou les fromages, un joli bol ou même un cul-de-poule pour la salade, une belle cocotte rétro pour le braisé, etc. Si vous disposez de temps, d'un arbre mort et d'une scie mécanique, une rondelle de bois vernie peut être également d'un bel effet.

Bien que les napperons puissent être de mise au chalet, préférez-leur toujours une nappe. Celles à carreaux ou à fleurs sont d'un kitsch délicieux et tout à fait dans le ton. Les serviettes en papier n'ont pas leur place sur votre table. Si vous êtes mal pris ou que l'envie vous prend d'être original, optez pour de délicats linges à vaisselle à carreaux, propres, il va sans dire.

« N'INTIMIDEZ PAS VOS INVITÉS AVEC UNE KYRIELLE D'USTENSILES DE CHAQUE CÔTÉ DE L'ASSIETTE. VOUS N'ÊTES PAS AU BAL DE LA JONQUILLE. »

Quelques règles de base à respecter

NE METTEZ PAS LES COUVERTS TROP PRÈS LES UNS DES AUTRES. Relaxe et chaleureux ne doit pas rimer avec coincé et inconfortable. Un espace de 50 à 70 cm entre les assiettes est la norme.

FOURCHETTES À GAUCHE, COUTEAUX À DROITE ET CUILLÈRES À SOUPE À DROITE DES COUTEAUX. Le tranchant du couteau doit toujours se trouver vers l'assiette. Les ustensiles dont on se sert en premier sont les plus éloignés de l'assiette.

VOUS N'OUBLIEREZ PAS DE METTRE EAU, SALIÈRE ET POIVRIÈRE SUR LA TABLE.

LE VERRE À EAU SE TROUVE LÉGÈREMENT À DROITE EN HAUT DE L'ASSIETTE, SUIVI DU VERRE À VIN ROUGE ET DU VERRE À VIN BLANC. Pour le chalet, si vous voulez éviter le look « table de banquet », ne mettez qu'un seul verre à vin que vous changerez pendant le souper s'il y a lieu. Vous pouvez aussi omettre l'assiette à pain si l'espace vous manque.

CONCENTREZ-VOUS SUR L'AMBIANCE. Un éclairage tamisé et des bougies, le crépitement du feu dans le foyer ou une musique de circonstance contribueront à créer une atmosphère propice aux échanges agréables. L'utilisation de lampions sur la table plutôt que de bougies a l'avantage de ne pas obstruer la vue entre les convives.

BLANC

ROUGE

EAU

50 à 70 cm

50 à 70 cm

BIEN QUE FACULTATIF, UN JOLI CENTRE DE TABLE EST LA CONSÉCRATION DE VOTRE TALENT À RECEVOIR. IL CONSISTE, COMME SON NOM L'INDIQUE, À RÉUNIR DE MANIÈRE ARTISTIQUE PLUSIEURS ÉLÉMENTS DÉCORATIFS AU CENTRE DE LA TABLE. ATTENTION, IL NE DOIT PAS ÊTRE TROP VOLUMINEUX SI VOUS VOULEZ GARDER DE L'ESPACE POUR METTRE LES PLATS. IL NE DOIT PAS NON PLUS ÊTRE À LA HAUTEUR DES YEUX DES CONVIVES. EN OUTRE, UN CENTRE DE TABLE DEVRAIT TOUJOURS ÊTRE EN PHASE AVEC SON ENVIRONNEMENT. AU CHALET, INSPIREZ-VOUS DE LA NATURE ET DES SAISONS.

L'AUTOMNE

Des branches avec des feuilles d'érable colorées, des graminées, des pommes, des courges, un panache, des pots de marinades de différentes couleurs...

L'HIVER

Du branchage mort, des branches de sapin, des cocottes, de l'écorce de bouleau...

LE PRINTEMPS

Des fleurs de saison dans des boîtes de sirop d'érable, des branches de chatons, des œufs...

L'ÉTÉ

Du feuillage verdoyant, des fleurs des champs, des fruits ou des écorces de fruits, des coquillages, du sable, de jolies pierres...

trucs et astuces

RECETTE POUR FAIRE UN ARRANGEMENT FLORAL COMME UN PRO. PREMIÈREMENT, CHOISISSEZ VOTRE CONTENANT : UNE CRUCHE, UN POT MASON, UNE CHAUDIÈRE, UNE BOÎTE DE CONSERVE, UN ARROSOIR, QU'IMPORTE. REMPLISSEZ-LE D'EAU JUSQU'À LA MOITIÉ. CHOISISSEZ DE LA VERDURE, COUPEZ-LA À LA LONGUEUR DÉSIRÉE : ELLE DOIT DÉPASSER DE 15 À 20 CM DU CONTENANT. LE MILIEU DOIT ÊTRE UN PEU PLUS HAUT QUE LE POURTOUR, CRÉANT AINSI L'IMPRESSION D'UN DÔME. ENLEVEZ TOUTES LES FEUILLES PLUS BASSES QUI SE RETROUVERAIENT DANS L'EAU. ATTENTION, L'ASTUCE CONSISTE À METTRE SUFFISAMMENT DE FEUILLAGE POUR QUE LES FLEURS QUE VOUS Y PLACEZ PAR LA SUITE NE SE DÉPLACENT PAS. COUPEZ ET PIQUEZ, EN DES ENDROITS STRATÉGIQUES, LES FLEURS CHOISIES, ACHETÉES OU CUEILLIES AVEC AMOUR. AYEZ SOIN DE TOUJOURS METTRE UN NOMBRE IMPAIR DE FLEURS DE LA MÊME SORTE. AJOUTEZ DU RELIEF AVEC DES GRAMINÉES OU DES BAIES.

VIVRE
ET LAISSER VIVRE

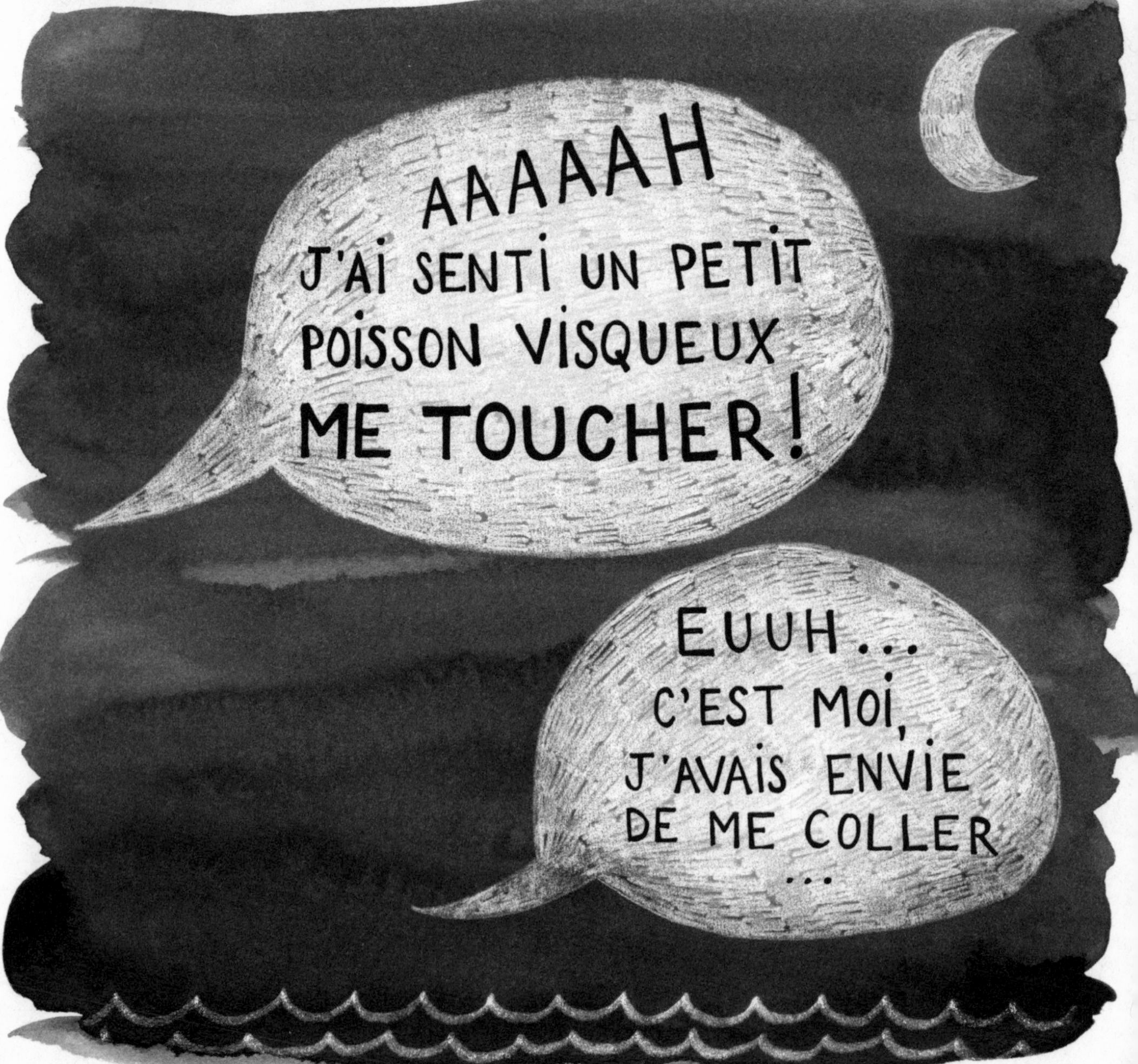

RESPECTEZ LE RYTHME DE CHACUN. VOS INVITÉS DOIVENT SE SENTIR À L'AISE DE SE DÉTENDRE, AUTANT QUE DE S'ACTIVER. N'ORGANISEZ PAS D'ÉVÉNEMENTS À GRAND DÉPLOIEMENT AUXQUELS ILS SE SENTIRONT OBLIGÉS DE PARTICIPER S'ILS SONT BIEN ÉLEVÉS. FAIRE UN PARCOURS D'HÉBERTISME DANS LE BOIS, À L'AUBE – LA FORÊT LE MATIN, C'EST MAGNIFIQUE! – POURRAIT NE PAS CONVENIR AU TEMPÉRAMENT DE CERTAINS.

Demandez-leur simplement comment ils entrevoient leur journée. Présentez quelques options possibles. Vous n'êtes pas obligés d'être ensemble toute la journée. Vous pourriez très bien leur donner rendez-vous pour les repas ou encore faire une promenade le matin et les laisser profiter de la plage l'après-midi pendant que vous taillez votre haie. Si vous commencez à manquer d'imagination pour vous divertir autour du chalet, vous pouvez toujours vous rabattre sur les attraits de la région pour organiser une excursion. Festivals, sites patrimoniaux, attraits naturels, marchés aux puces, découverte des produits du terroir… Vous trouverez sûrement quelque chose dans les brochures touristiques de votre région.

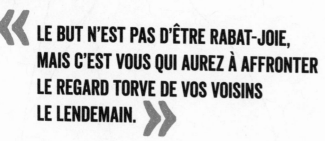

« LE BUT N'EST PAS D'ÊTRE RABAT-JOIE, MAIS C'EST VOUS QUI AUREZ À AFFRONTER LE REGARD TORVE DE VOS VOISINS LE LENDEMAIN. »

Attention! Même si vous recevez des amis proches, n'oubliez pas que vous êtes et devez demeurer la personne-ressource et responsable en tout temps. Vos charmants invités, sachant qu'ils n'auront pas à reprendre la route après le souper, seront peut-être tentés de faire de cette soirée «une soirée mé-mo-raa-ble» et, par exemple, vouloir aller faire leur plus belle bombe en sautant nu du bout du quai, ou dans un banc de neige, ou dans le feu de camp. Réfléchissez rapidement et négociez s'il y a lieu. Votre priorité ira à la sécurité de l'entreprise. Ensuite, vous songerez rapidement aux répercussions sur le reste du séjour. Le but n'est pas d'être rabat-joie, mais c'est vous qui aurez à affronter le regard torve de vos voisins le lendemain. Le mieux est de capter l'attention de vos invités dès le souper terminé en suggérant une activité dirigée telle que des jeux de société. Après quelques verres, Dieu seul sait où une partie de Twister peut vous mener… Proposez le type de jeu qui pourra mettre en valeur les forces de la majeure partie de vos invités: adresse, mémoire, culture, stratégie, bluff, ingurgitation de boisson ou autre.

Si tout semble au beau fixe, par contre, ne vous sentez pas obligé d'attendre que le dernier des couche-tard montre un signe de fatigue avant de déclarer forfait. Il est tout à fait correct de laisser les irréductibles veiller autour du feu. Cependant, chargez le moins éméché d'entre eux d'éteindre le feu avant d'aller au lit.

TENACE
TENACE
TENACE
TENACE
TENACE
tenace
tenace
TENACE

« TOUS N'ONT MALHEUREUSEMENT PAS CE SIXIÈME SENS QUI PERMET DE DÉTECTER QUE LA FÊTE EST FINIE. »

Vos invités ont apparemment eu du bon temps. Félicitations! C'est maintenant le jour du départ. Annoncez vos couleurs en début de journée pour vous assurer que le plan d'évacuation est clair pour tout le monde et qu'il n'y a pas de malentendu. Surtout si vous retournez en ville vous-même, vous n'aurez qu'à mentionner l'heure à laquelle vous souhaitez commencer à vous préparer à partir. Rares sont les gens qui insisteront pour rester après votre départ. Les choses peuvent se corser dans le cas où les invités partent et que vous restez. Faites-leur part simplement de votre programme de la journée en précisant, par exemple, qu'après le dîner, vous pourrez les aider à remplir leur voiture avant de faire [insérez une activité ou une tâche qui ne les implique clairement pas].

Si vous vivez un jour l'expérience d'invités qui s'incrustent telles des taches tenaces, vous comprendrez toute la nécessité d'être clair sur la fin des agapes dès le lancement de l'invitation. Tous n'ont malheureusement pas ce sixième sens qui permet de détecter que la fête est finie. Quand les convives collent, l'idée est de les déloger en douceur, sans trop les brusquer. Vous serez probablement amené à les côtoyer de nouveau, alors vous désirez sans doute qu'ils gardent un bon souvenir de leur passage chez vous. Prenez d'abord le compliment: votre foyer est accueillant, vous êtes un hôte fantastique. Tellement fantastique qu'ils n'ont, de toute évidence, pas l'intention de partir de sitôt.

1 Lorsque vous considérez que vos invités devraient avoir pris le large, sans être rustre, cessez d'être un hôte proactif. N'envoyez pas de messages contradictoires : ne proposez pas de nouvelles activités et n'offrez plus rien à boire ou à manger.

2 Faites référence à votre emploi du temps (ils n'y figurent pas) et à l'heure qu'il est (tard). Commencez à parler du séjour au passé pour souligner qu'il est bel et bien terminé: «C'était vraiment très agréable de vous recevoir, il faudra qu'on se reprenne.»

3 Ensuite, levez-vous et activez-vous autour d'eux: ramassez, allez faire leur chambre, la vaisselle...

4 Surtout en hiver, si les conditions de route sont difficiles, encouragez les invités à partir de bonne heure (avant la tempête ou avant qu'il fasse noir), pour leur sécurité, bien sûr.

5 En désespoir de cause, trouvez-vous des courses, une activité à faire à l'extérieur du chalet, ou faites carrément mine de retourner en ville: faites le ménage (ce n'est jamais perdu), un semblant de bagages, et remplissez la voiture. Allez dîner au village, tiens! Vous reviendrez au chalet avec l'impression fraîche d'un nouveau départ.

6 Mais rappelez-vous qu'il n'y a souvent rien comme la vérité pour se sortir de situations délicates. Si ce sont des proches et que vous vous sentez à l'aise, dites-leur franchement avec un ton sympathique et une pointe d'humour: «Bon, les amis, c'était très agréable, mais je vous mets dehors après le dîner!» ou encore: «Si on veut se reprendre, il faut d'abord partir!»

ACCUEILLIR
DES ENFANTS

SI VOUS RECEVEZ DES ENFANTS AU CHALET, DE DEUX CHOSES L'UNE: VOUS AVEZ VOUS-MÊME DES ENFANTS ET ESPÉREZ QU'EN INTRODUISANT DE NOUVEAUX SPÉCIMENS, ILS S'OCCUPERONT ENTRE EUX ET VOUS LAISSERONT TRANQUILLE, OU BIEN VOUS AVEZ ZÉRO ENFANT ET VOUS NE SAVEZ PAS VRAIMENT DE QUOI IL EN RETOURNE. SI VOUS APPARTENEZ À LA SECONDE CATÉGORIE, SOYEZ AVISÉ QUE LES ENFANTS N'ONT PAS ENCORE INTÉGRÉ LA THÉORIE DE HALL (VOIR LA THÉORIE DE HALL P. 38), SE LÈVENT TÔT LE MATIN (SÛREMENT TROP TÔT POUR VOUS), NE COMPRENNENT PAS LE CONCEPT DE FARNIENTE, NE MANGENT PAS D'HUÎTRES ET NE BOIVENT PAS D'ALCOOL. S'ILS SONT TRÈS PETITS, ILS VOUS RÉVEILLERONT LA NUIT, ILS MANGERONT DE LA POUSSIÈRE ET PRENDRONT LES ESCALIERS DU SOUS-SOL POUR UNE INVITATION AU SUICIDE.

Quelques attentions particulières, comme un environnement propre, seront sans doute appréciées si vous recevez des parents et leurs petits appendices. Oui, c'est la base, mais faites un effort supplémentaire au niveau des planchers. Vous pourriez être surpris de l'effet vadrouille que produit un enfant qui rampe. Ensuite, sécurisez les lieux au mieux de votre connaissance et prévenez les parents des dangers potentiels: escaliers, foyer, produits dangereux, etc. Faites-leur faire un tour des environs en leur précisant où se trouvent le lac, la route, le nid de guêpes... Sans vous transformer en animateur de camp de vacances, vous pouvez informer les enfants des activités possibles et susceptibles de leur plaire. Par contre, sachez tenir votre rang: en aucun cas, vous ne pouvez vous substituer à l'autorité parentale, à moins que la sécurité de quelqu'un ou de votre mobilier ne soit compromise. Parce que vous le méritez sûrement après cette dure journée, vous trouverez, ci-après, quelques ruses pour souper tranquille.

1 En premier lieu, faites manger les enfants avant les adultes, ou du moins à part. Ensuite (le mieux), couchez-les (changez l'heure de l'horloge s'ils savent la lire).

2 Installez-les devant un film et assurez-vous qu'ils ont une grande quantité de popcorn.

3 Montez-leur une tente dehors ou faites une cabane à l'intérieur en spécifiant que s'ils viennent vous déranger pour rien, vous la déferez sur-le-champ.

4 Envoyez-les en mission (idéalement longue et complexe).

5 Demandez-leur de préparer un spectacle (ils ne doivent pas vous demander d'aide, car ce doit être une SURPRISE).

6 Payez-les («je mets la minuterie: si je ne t'entends pas pendant 1 heure, je te donne 2 $»).

7 Faites-les chercher des trèfles à quatre feuilles et récompensez-les par des bonbons (un trèfle = un Smarties).

8 S'il y a un dépanneur ou une épicerie à distance de marche, fournissez-leur un petit montant pour qu'ils partent s'acheter des friandises. Quand ils auront fini, redonnez-leur un autre petit montant (en insistant sur la faveur que vous leur faites) pour qu'ils repartent à l'épicerie.

9 Selon l'âge, enfermez-les dehors avec un couvre-feu inversé: «On ne veut pas vous voir avant 8 h.»

SORTES de VIEUX

VIEUX

+

jeunes

=

VIEUX *jeunes*

OU

jeunes VIEUX

+

VIEUX

=

VIEUX VIEUX

NOTEZ BIEN: EST CONSIDÉRÉ COMME « VIEUX » TOUTE PERSONNE AYANT AU MOINS L'ÂGE D'ÊTRE VOS PARENTS. MAIS ATTENTION, CHAQUE VIEUX EST DIFFÉRENT. LES VIEUX-JEUNES NE SONT PAS VIEUX. ILS SONT PLUS VIEUX QUE VOUS, C'EST TOUT. ET ENCORE, ILS N'EN SONT PAS SI CONVAINCUS. LES JEUNES VIEUX, EUX, NE SONT PARFOIS PAS SI VIEUX, MAIS ILS SONT DÉJÀ TRÈS ÂGÉS DANS LEUR TÊTE. LES VIEUX-VIEUX, ON S'Y TROMPE RAREMENT, ILS SONT VIEUX À L'ŒIL ET À L'OREILLE.

METTEZ-VOUS DANS DE BONNES DISPOSITIONS. Bien que vous auriez aimé passer votre samedi au milieu du lac, en alternant pêche et bronzage sur le quai flottant, peu importe, maintenant, ils sont là. Arrangez-vous pour qu'ils passent du bon temps et pour ne pas mettre votre héritage en péril au profit d'une œuvre de bienfaisance.

IL N'EST PAS TEMPS DE RÉGLER DES COMPTES, L'HEURE EST À LA JOIE. Si vous désirez malgré tout vous lancer dans les confidences, rien de mieux qu'une promenade en forêt ou un petit tour en chaloupe pour le classique: « Papa, tu ne m'as jamais dit que tu m'aimais. »

IL VEUT GRIMPER DANS UN ARBRE POUR PROUVER QU'IL EST ENCORE JEUNE ? Pour éviter qu'il ne se casse une hanche et n'abime sa fierté, feignez de vous tordre un pied et appelez-le à votre secours.

PROPOSEZ D'ALLER FAIRE UNE BALADE EN NATURE. Particulièrement si vos augustes invités viennent de la campagne, ils auront sûrement quelque chose à vous apprendre: les vieux adorent vous apprendre des choses. Si vous connaissez déjà la différence entre un sapin et une épinette, taisez-vous.

N'OUBLIEZ PAS, SURTOUT PAS, DE SORTIR TOUS LES CADEAUX LAIDS qu'ils vous ont offerts et que vous aviez remisés dans la *shed*.

CÔTÉ NOURRITURE, PLUS ILS SONT ÂGÉS, PLUS VOUS DEVREZ RESTER DANS LES CLASSIQUES. Informez-vous des particularités alimentaires et ne passez aucun jugement à votre belle-mère qui vient de trouver un autre aliment qu'elle a du mal à digérer. Le mieux est de cuisiner une de ses recettes et de spécifier, en servant, que vous avez fait de votre mieux, mais que ce sera sûrement moins bon que quand c'est elle qui la fait.

PROFITEZ DE LEUR PRÉSENCE POUR LES FAIRE PARLER DU BON VIEUX TEMPS. Vos aînés adorent raconter comment ils ont souffert, que « les bécosses étaient dehors et qu'ils se levaient à 4 h 30 pour faire le train tous les matins avant de marcher cinq milles pieds nus dans la neige pour se rendre à l'école ».

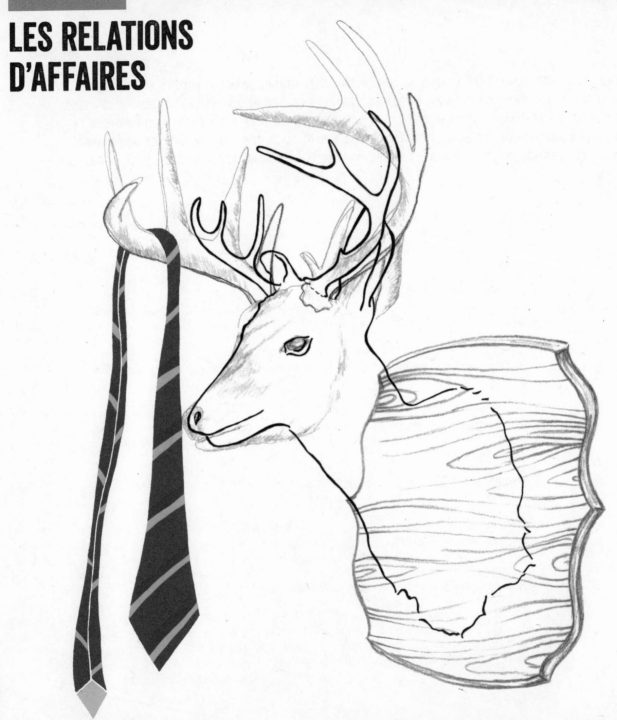

GARDER DE BONNES RELATIONS AVEC DES CLIENTS, PRÉPARER LE TERRAIN POUR UNE NOUVELLE ENTENTE PROFESSIONNELLE, ENCOURAGER VOS COLLÈGUES À VOUS RENDRE SERVICE OU SIMPLEMENT RAPPELER À VOTRE PATRON QUE VOUS MÉRITEZ UNE PROMOTION, VOILÀ QUELQUES RAISONS QUI PEUVENT VOUS MOTIVER À RECEVOIR VOS RELATIONS D'AFFAIRES AU CHALET. L'IDÉE EST DE CRÉER DES LIENS ET DE VOUS POSER À LEURS YEUX COMME UNE PERSONNE AGRÉABLE ET DE CONFIANCE AVEC QUI IL FAIT BON VIVRE ET, PAR EXTENSION, TRAVAILLER ET FAIRE DES AFFAIRES.

Attention, vous devez être un hôte aguerri pour recevoir des partenaires d'affaires. Si vous ne vous considérez pas, à la base, comme une personne particulièrement sociable et agréable en société ou que la simple pensée de recevoir des gens pour un week-end vous donne de l'urticaire, recevoir au chalet en vue d'obtenir des avantages professionnels n'est peut-être pas la meilleure manière de vous mettre en valeur. Toute une fin de semaine avec des gens que vous connaissez à peine pourrait vous paraître une éternité. Si votre chalet est à moins de deux heures de route, pourquoi ne pas organiser une fête champêtre ou un barbecue ?

En outre, assurez-vous, avant de la lancer, que l'invitation sera bien reçue. Tâtez le terrain au préalable: parlez pêche, balade en pédalo ou randonnée en forêt avec les invités convoités. Glissez dans la conversation que vous possédez un chalet et soyez attentif à l'intérêt qu'on y porte. Vos conviés doivent se sentir heureux et privilégiés de répondre présent, mais ils ne doivent en aucun cas se trouver pris au piège et voir la chose comme d'ennuyeuses mais inéluctables heures supplémentaires. Aussi, n'invitez pas votre employeur juste avant de demander une promotion, ce serait d'un goût douteux. Vous pourriez même vous en trouver désavantagé, votre supérieur ne voulant pas ouvertement avoir l'air de faire du favoritisme.

L'invitation a été lancée, acceptée, et ils vont arriver d'une minute à l'autre. Calmez-vous. Que vous receviez votre patron, un client potentiel ou vos collègues, ce sont (pas tous, mais pour la plupart) des humains comme vous. Vous pourriez même bien vous entendre avec eux, qui sait? Soyez (paraissez, du moins) détendu et essayez d'être le plus naturel possible. Répétez-vous mentalement que vous les avez invités parce que ce sont des gens avec qui vous avez envie de passer un bon moment. Enfin, on ne doit pas sentir que vous avez une idée derrière la tête et que votre invitation est tout sauf désintéressée.

Si vous avez l'intention d'inviter aussi d'autres gens pour meubler, choisissez-les avec le plus grand soin pour servir votre dessein: vous mettre en valeur, et non le contraire. Ainsi, vous éviterez les plaisantins ou les provocateurs. Pensez à comment vos amis tiennent l'alcool. Vous ne voulez pas que votre sœur, capable de tout quand elle a pris trois verres, demande à votre patron si vous êtes aussi pénible au bureau qu'à la maison, ou dévoile votre petit côté alcoolique ou joueur compulsif. Il serait tout aussi malvenu que votre meilleur ami, croyant vous rendre service et vous obtenir une augmentation, se lance dans une tirade mélodramatique sur vos fins de mois difficiles. Ceux qui mettent le plus d'ambiance sont habituellement les plus incontrôlables. Pensez-y et sachez doser.

> **« DE QUOI AUREZ-VOUS L'AIR AU BUREAU LUNDI MATIN ? OSEREZ-VOUS REGARDER DANS LES YEUX VOTRE COLLÈGUE AVEC QUI VOUS VOUS ÊTES ÉLANCÉ NU DANS LE LAC POUR UN BAIN DE MINUIT ? »**

N'essayez pas de transformer votre modeste *shack* en manoir ou de recevoir avec beaucoup plus de faste que ce à quoi vous êtes habitué. Vos invités seraient également mal à l'aise de vous sentir trop empressé. Recevez-les, somme toute, simplement. Si vous affichez un luxe ostentatoire, vos collègues se demanderont si vous êtes mieux payé qu'eux, et votre patron, si vous méritez une augmentation.

Ne discutez jamais affaires dès que vos invités ont franchi le seuil de la porte. Attendez que le moment propice se présente, mais idéalement, ce sont vos invités qui devraient aborder le sujet. Notez qu'il n'est pas nécessaire de parler explicitement des questions professionnelles qui vous préoccupent. Vous ne devez pas avoir l'air de vous attendre à quelque chose de ce séjour. Si vous avez invité votre plus gros client à la pêche, c'est pour le plaisir de sa compagnie, bien sûr. Rappelez-vous : vous êtes en train de mettre en place un plan global et subtil de mise en valeur de votre personne. Faites en sorte que les conversations ne tournent pas seulement autour du travail. Même les personnes concernées pourraient trouver que les anecdotes drôles à la pause-café deviennent un peu lourdes au bout du quai. Assurez-vous seulement de faire passer un bon moment à tout un chacun et décrochez. Au chalet, c'est le but, non ?

Si votre relation d'affaires est venue avec son conjoint ou sa conjointe, occupez-vous-en en priorité. Posez-lui des questions sur ce qu'il fait, ce qu'elle aime, etc. Il serait déplaisant et déplacé que vous n'ayez d'attention que pour un seul convive, même si franchement, vous n'en avez rien à cirer de la passion de M. Chose pour les arbres et les oiseaux. Également, si vous avez à faire référence à un collègue ou à une situation relative au travail devant quelqu'un de l'extérieur, prenez soin de toujours mettre en contexte pour que tous puissent comprendre l'allusion.

Même si le souper a été arrosé et que le feu de foyer prête à la confidence, rappelez-vous que vous n'êtes pas entre amis. Il y a des enjeux. Ne dites rien que vous pourriez regretter et restez sur vos gardes. Gardez-vous bien de médire sur vos collègues ou de vous moquer des clients. Peut-être que votre patronne sourit en ce moment, mais elle se posera sans doute des questions plus tard sur votre relation avec les fournisseurs et sur votre aptitude au travail d'équipe. Tout en ayant l'air de passer le meilleur moment de votre vie, gardez toujours une certaine distance avec les gens avec qui vous entretenez des liens professionnels. De quoi aurez-vous l'air au bureau lundi matin ? Oserez-vous regarder dans les yeux votre collègue avec qui vous vous êtes élancé nu dans le lac pour un bain de minuit ?

Si vous vous rendez compte que finalement, vos invités s'avèrent moins intéressants que vous ne le pensiez, n'en faites pas tout un plat. L'important, c'est qu'ils aient passé un bon moment et que tout rentre dans l'ordre une fois le séjour terminé. Assurez-vous seulement de ne pas finir dans le négatif. Vous ne les inviterez pas à passer l'été avec vous ou à devenir le parrain de votre prochain enfant, c'est tout. Le problème, c'est qu'ils voudront sans doute vous rendre votre invitation... Habituellement, si vous refusez de manière diplomate et pour d'excellentes raisons deux, voire trois propositions, ils vous laisseront tranquille et vous conserverez des relations cordiales.

Comment garder la tête froide

SI VOUS AVEZ UNE NETTE TENDANCE À VOUS METTRE LES PIEDS DANS LES PLATS OU À PASSER DE DOCTEUR JEKYLL À M. HYDE APRÈS AVOIR INGURGITÉ UNE CERTAINE QUANTITÉ D'ALCOOL, METTEZ LA PÉDALE DOUCE EN SUIVANT CES QUELQUES CONSEILS :

1 Ne buvez pas d'alcool le ventre vide et buvez beaucoup d'eau. Pour éliminer l'alcool, le corps utilise beaucoup d'eau, donc il se déshydrate rapidement. Buvez de l'eau avant la soirée et, pendant le repas, alternez les verres d'eau et les verres d'alcool.

 AINSI, VOTRE *VIRGIN* SEX ON THE BEACH VOUS ÉVITERA DE VOUS RÉVEILLER LE LENDEMAIN MATIN AVEC DU SABLE ENTRE LES FESSES ET UNE VAGUE IMPRESSION D'AVOIR FAIT UNE GROSSE ERREUR. »

2 Si on remarque que vous ne buvez pas beaucoup ou qu'on insiste pour remplir votre verre, faites mine de vous rendre à la cuisine ou aux toilettes et versez-y une partie du liquide. Verser tout le contenu pourrait, au contraire, vous faire passer pour un alcoolique qui se cache pour aller vider son verre.

3 Suivez l'humeur générale et ayez l'air festif. Votre patron raconte des histoires salaces et s'est fait un beau chapeau avec son pantalon ? Qu'à cela ne tienne. Vous riez de bon cœur en lui resservant une crème de menthe.

4 Privilégiez les cocktails dans lesquels vous pouvez omettre de verser de l'alcool ou, du moins, en mettre une quantité moindre. Ainsi, votre *virgin* sex on the beach vous évitera de vous réveiller le lendemain matin avec du sable entre les fesses et une vague impression d'avoir fait une grosse erreur.

5 Pour limiter les dégâts le lendemain et faciliter le lever du corps, prenez deux comprimés d'acétaminophène (Tylenol) ou d'ibuprofène (Advil), ainsi qu'un cachet de dimenhydrinate (Gravol) avec un grand verre d'eau.

6 Si vous n'avez pas suivi nos judicieux conseils et avez de toute évidence trop bu, oubliez le verre de lait, la cuillère à soupe d'huile, le citron pressé ou la tisane miraculeuse. Aucune de ces solutions n'est éprouvée. Idem pour le café : il vous permet de rester éveillé, mais il ne fera pas baisser votre taux d'alcoolémie plus rapidement. Il n'y a que le temps qui puisse venir à bout de la quantité d'alcool que vous avez dans l'estomac. Ou vous pouvez évacuer le trop-plein en utilisant la bonne vieille méthode du vomi préventif, c'est-à-dire en vous introduisant profondément l'index et le majeur ensemble dans la gorge, tout en titillant la luette. Rien de magique, mais cela vous évitera au moins d'éteindre le feu de camp en restituant dessus.

RECEVOIR POUR UNE FÊTE CHAMPÊTRE

PAR ICI *les amis*

C'EST L'ÉTÉ, VOS FLEURS SONT MAGNIFIQUES, LA VUE SUR LE LAC EST SPLENDIDE… VOUS SONGEZ À VOTRE SŒUR QUI VOUS REPROCHE DE NE PAS AVOIR VU LE DERNIER-NÉ DE SES ENFANTS, À VOS AMIS QUI CUISENT EN VILLE ET À VOTRE MÈRE, QUI MALGRÉ SA BONNE FORME ET SES 60 ANS VOUS A CONFIÉ VOULOIR VOIR LE LAC UNE DERNIÈRE FOIS AVANT DE MOURIR. LES SIGNES NE TROMPENT PAS, VOUS ÊTES MÛR POUR RECEVOIR. IL EST HORS DE QUESTION, PAR CONTRE, QUE VOUS MONOPOLISIEZ LES TROP PEU NOMBREUSES FINS DE SEMAINE DE L'ÉTÉ À RECEVOIR TOUR À TOUR TOUT CE BEAU MONDE. UNE RÉCEPTION EN PLEIN AIR S'AVÈRE ÊTRE UN CHOIX JUDICIEUX POUR QUI VEUT RECEVOIR UN GRAND NOMBRE DE PERSONNES D'HORIZONS DIFFÉRENTS SANS L'EMBARRAS DE LES GARDER À COUCHER NI MÊME DE LES FAIRE ENTRER DANS LE CHALET.

RETENEZ DE PRÉFÉRENCE UNE DATE DE LA SAISON ESTIVALE. Recevoir en plein air l'hiver, c'est possible, mais il s'agit d'une tout autre expérience dont il ne sera pas question ici. Une fois la date fixée, lancez les invitations au moins trois semaines à l'avance, car les gens de qualité sont rapidement très occupés durant la saison chaude. Pour les invitations, référez-vous à la section « Qui inviter ? » à la page 112.

SI VOUS SAVEZ QUE CERTAINS DE VOS INVITÉS NE SONT PAS MOTORISÉS, il serait gentil de leur organiser le voyagement ou encore de leur fournir les horaires d'autobus pour éventuellement aller les chercher au terminus.

AYEZ UN PLAN B EN CAS DE PLUIE. Les bons hôtes ne sont jamais pris au dépourvu. Annulerez-vous ? Reporterez-vous au lendemain ? Et si la pluie vous surprenait en pleine fête ? Accueillerez-vous tout le troupeau boueux à l'intérieur ? Ne vous fiez pas trop à ce que vous dit la dame de la météo à la télévision.

VOTRE ESPACE EXTÉRIEUR DOIT ÊTRE ACCUEILLANT : une grande terrasse ou un terrain assez plat est de mise. En effet, un terrain escarpé peut diminuer de beaucoup le plaisir et la sécurité de vos invités. Prévoyez, en outre, un ou plusieurs lieux où vos convives pourront se mettre à l'ombre : des arbres, une tente, des parasols ou encore de jolis tissus ou même des draps (propres) tendus entre les arbres ou par des piquets. Organisez l'espace de façon à créer différents îlots pour que les gens ne se concentrent pas à un seul endroit.

RASSEMBLEZ DES CHAISES PAR GROUPES DE TROIS OU QUATRE ET FAITES UNE TABLE POUR LA NOURRITURE, PUIS UNE AUTRE POUR LES BOISSONS (vin blanc, vin rouge, bière, sangria…) qui devront impérativement être tenues au froid. N'oubliez pas de fournir de l'eau à profusion si vous prévoyez garder vos invités en état de retourner à la maison par leurs propres moyens.

trucs et astuces

SUSPENDEZ DES LANTERNES ET DES GUIRLANDES DE FLEURS AUX ARBRES ET PENSEZ À UN ÉCLAIRAGE POUR LE SOIR S'IL Y A LIEU : TORCHES, PHOTOPHORES, GUIRLANDES LUMINEUSES, ETC.

> **« LA PLUPART DE VOS CONVIVES N'ARRIVERONT PAS EN TRANSPORT EN COMMUN OU EN BIXI, MAIS BIEN EN VOITURE. »**

PRÉVOYEZ UN MENU QUI NE VOUS TIENDRA PAS TROP OCCUPÉ, le but de la réception étant de socialiser avec le plus grand nombre de personnes dans un laps de temps prescrit. Privilégiez le mode convivial du libre-service tout en réapprovisionnant régulièrement les différentes stations et en vous assurant que personne ne manque de rien.

ATTENTION, CONVIVIAL NE RIME PAS TOUJOURS AVEC INCONFORTABLE. Pensez à installer des tables où les gens pourront déposer leur verre ou leur assiette et éventuellement s'asseoir pour manger. Dans le cas contraire, vous obligeriez vos convives à faire un choix déchirant entre boire et manger. Si vous désirez vous asseoir à une même table, des tréteaux surmontés de planches vous permettront de créer une grande tablée. Recouvrez le tout de jolies nappes aux motifs champêtres. À défaut d'avoir de vrais poids de nappe, trouvez de beaux cailloux à disposer à des endroits stratégiques sur la table.

DÉCOREZ LES TABLES DE JOLIS BOUQUETS DE FLEURS OU ENCORE CONFECTIONNEZ DES CENTRES DE TABLE ORIGINAUX INSPIRÉS DE LA NATURE. Pour éloigner les vilaines abeilles, priorisez les géraniums et fabriquez quelques pièges à abeilles (voir « Les insectes piqueurs » p. 72 pour d'autres conseils inspirants). Disposez également des bougies à la citronnelle de manière sécuritaire et à l'abri du vent, elles dégageront une odeur agréable en plus de créer une belle ambiance. Malheureusement, aucun de ces trucs n'a prouvé son efficacité, mais vous aurez au moins l'air d'un hôte soucieux du bien-être de ses invités.

VISUALISEZ ET PLANIFIEZ LE STATIONNEMENT DE TOUS CES VÉHICULES. N'oubliez pas que vous êtes au chalet, à la campagne. La plupart de vos convives n'arriveront pas en transport en commun ou en Bixi, mais bien en voiture.

MONTREZ AUX PREMIERS ARRIVANTS OÙ ILS PEUVENT DÉPOSER LEURS EFFETS PERSONNELS S'ILS LE DÉSIRENT. Une table placée en retrait peut très bien faire l'affaire et évitera aux gens d'avoir à se rendre dans le chalet inutilement. À moins d'avoir prévu des toilettes chimiques, les gens ne pourront faire autrement que d'aller aux toilettes dans le chalet. Indiquez-leur le chemin et voyez à ce qu'il ne manque de rien : serviettes à mains, savonnette, rouleaux de papier de toilette supplémentaires, mouchoirs, poubelle, journaux et revues, etc.

SI VOS AMIS SONT POLIS, ILS VOUS AURONT APPORTÉ UN CADEAU D'HÔTE. Ouvrez-le dès leur arrivée, remerciez-les et déposez la chose dans le chalet. Offrez-leur un rafraîchissement et indiquez-leur ensuite où ils peuvent se resservir.

> **« AYEZ UN PLAN EN TÊTE POUR ÉTEINDRE UN ÉVENTUEL INCENDIE. "ROULE-TOI PAR TERRE, C'EST CE QU'IL FAUT FAIRE." »**

FAITES UN MENU QUI CORRESPOND À VOTRE BUDGET, MAIS SURTOUT, NE MANQUEZ PAS DE NOURRITURE. Quitte à manger vos restes pendant deux semaines. Pensez, dans le choix de vos aliments, aux clientèles particulières : les enfants, les gens ayant des allergies, les personnes âgées et les bébés qui mangent mou, ceux qui souffrent d'ulcères ou d'intolérance au gluten, les végétariens, les personnes de confession juive ou musulmane…

SI VOUS ORGANISEZ UN BARBECUE, ASSUREZ-VOUS À L'AVANCE QUE LE BARBECUE FONCTIONNE ET QUE LA BONBONNE EST PLEINE. Si vous pensez avoir besoin de faire cuire les grillades en plus de trois fois, songez à vous munir d'un deuxième barbecue. Le barbecue doit être placé à l'abri du vent, surtout si vous utilisez des briquettes.

ÉLOIGNEZ LES JEUNES ENFANTS DE L'AIRE DE CUISINE et ayez un plan en tête pour éteindre un éventuel incendie. « Roule-toi par terre, c'est ce qu'il faut faire. » Saucisses, grillades en tous genres, poissons; le menu barbecue n'a de limite que votre imagination. Accompagnez le tout de quelques salades fraîches et terminez par des desserts légers et estivaux : tarte aux fruits, salade de fruits ou crème glacée.

TRADITIONNELLEMENT, LE RÔLE DU MAÎTRE DU GRIL REVIENT À L'HOMME DE LA MAISON, mais bravo aux dames qui prennent maintenant en charge la cuisson au barbecue sans crainte d'explosion. Servez les grillades à vos invités dans des assiettes. Ils pourront ensuite chercher eux-mêmes leurs accompagnements et leurs condiments à la table libre-service. Dans ce type de réception détendue, n'hésitez pas à laisser vos invités mettre l'épaule à la roue en leur donnant de petites tâches simples et faciles à exécuter telles que distribuer les assiettes ou encore remplir les verres.

POUR UN MÉCHOUI, SI VOUS NE VOUS SENTEZ PAS L'ÂME BRICOLEUSE, LOUEZ UN FOUR PRÉVU À CET EFFET et demandez à votre boucher d'embrocher la pauvre bête. Vous aurez fort probablement intérêt à le prévenir de votre petite fantaisie. L'agneau et le porc sont habituellement les viandes préférées pour ce type de cuisson. Calculez 1 lb de viande (non désossée) par personne. Pour les âmes sensibles à qui la vue d'une carcasse entière déplairait, vous pouvez utiliser des quartiers de viande. Calculez le double du poids de votre animal en briquettes ou en braises. Le temps de cuisson est d'à peu près 15 minutes par kilo. Si vous n'êtes pas certain du résultat, utilisez un thermomètre à cuisson.

trucs et astuces

LE CADEAU D'HÔTE EST UNE MARQUE D'ATTENTION QUI EST TOUJOURS TRÈS APPRÉCIÉE. IL SIGNIFIE « MERCI DE NOUS RECEVOIR, J'APPRÉCIE LE TEMPS, L'ARGENT ET L'EFFORT QUE VOUS FOURNISSEZ AFIN DE NOUS FAIRE PASSER UN AGRÉABLE MOMENT ».

L'idée n'est pas de dépenser une fortune ni d'arriver avec quelque chose de très extravagant tel un joli petit chiot. Vous ne devez pas non plus rendre la personne qui vous reçoit mal à l'aise en lui offrant un cadeau qui demandera de réorganiser complètement le menu ou la décoration. Interrogez-vous sur les goûts et intérêts de vos hôtes: cuisine, déco, lecture, histoire de la cosmologie ancienne? Ayez une préférence pour les cadeaux que vos hôtes pourront consommer ou laisser à leur maison de campagne (s'ils en sont propriétaires, bien sûr): jeux de société, plante ou arbuste à planter sur le terrain, jardinière de fines herbes, livre à laisser traîner au chalet, revues, bibelot rigolo, livre de cuisine réconfortante ou estivale, compilation de musique estivale ou vacances, sauces, assaisonnements, accessoires pour le BBQ, muffins maison, etc.

Faites un petit effort sur l'emballage. Ce n'est pas un cadeau de mariage, mais quand même. On saura que vous l'avez acheté en vitesse s'il est dans un sac de plastique et que le prix s'y trouve encore.

Le cadeau d'hôte est habituellement offert dès l'arrivée. Par contre, si vous êtes invité en grand nombre, il peut être utile de joindre une petite carte signée de votre nom, ce qui empêchera qu'on vous remercie pour le cadeau de quelqu'un d'autre ou que l'on pense que vous êtes arrivé les mains vides. Il est possible d'offrir ou d'envoyer un cadeau de remerciement à la fin du séjour, mais le danger est que vos hôtes vous jugent radin et ingrat jusque-là. Gardez cette option au cas où vous auriez malencontreusement oublié, égaré ou mangé votre cadeau. Enfin, sachez que d'offrir un cadeau d'hôte ne remplace pas le quota d'alcool réglementaire et la contribution pour les repas.

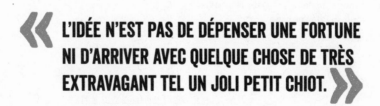

« L'IDÉE N'EST PAS DE DÉPENSER UNE FORTUNE NI D'ARRIVER AVEC QUELQUE CHOSE DE TRÈS EXTRAVAGANT TEL UN JOLI PETIT CHIOT. »

Comment se faire réinviter

1 N'arrivez pas à plusieurs, ou avec un invité imprévu, quand c'est vous seul que l'on a invité, sauf dans le cas où vous auriez embarqué sur le pouce une vedette de renommée internationale. À moins d'avoir demandé l'autorisation de l'amener, laissez votre chien à la maison, sauf si sa présence est clairement requise: vous êtes aveugle ou vous prévoyez faire une partie de chasse à courre.

2 Apportez au moins une bouteille de vin pour chacun des repas prévus. Selon vos hôtes, comptez aussi le petit déjeuner. Doit-on mentionner qu'on ne repart pas avec ce qui n'a pas été consommé?

3 Faites-vous discret, aimable, courtois et léger comme une brise d'été. La vie rurale, si rustique soit-elle, ne saurait venir à bout de votre moral d'acier. Vous trouvez que votre belle-sœur ne lève pas le petit doigt? Ce n'est pas le moment de régler vos comptes. Vous lui donnerez un plus petit cadeau à Noël.

4 Offrez de contribuer financièrement pour les repas ou proposez d'aller faire les courses. Vous pourriez également prendre en charge un repas ou un plat si vous êtes sûr du résultat.

5 Ne prolongez pas votre séjour plus de deux jours sans y être formellement convié, et prévenez à l'avance de la date et de l'heure de votre arrivée ainsi que de celle de votre départ. Ne dit-on pas que ce sont les meilleurs qui partent les premiers? Arrangez-vous pour qu'on s'ennuie de vous et non pour ennuyer tout le monde.

6 De grâce, restez décent. Votre épilation brésilienne est particulièrement bien réussie? Vous êtes à l'aise avec votre corps? Soit. Ce sera votre petit secret. N'exacerbez pas les complexes des autres en arborant une tenue trop légère. De même, vous ne serez pas le premier tout nu pour le bain de minuit.

7 Ne faites aucun caprice quant à la nourriture. Le premier repas est un méchoui et vous êtes végétarien? Mangez du pain. Crier au carnage ne ramènera pas à la vie cette pauvre bête et l'ambiance risque d'en prendre un sacré coup. Vous vous gaverez de tofu une fois rentré à la maison.

8 Si vous pensez amener vos enfants, soyez certain qu'ils sont bel et bien invités et assurez-vous de garder le contrôle, quitte à leur promettre une console de jeux vidéo. Prévoyez-leur des jeux et des activités. Couchez-les tôt ou organisez-vous pour qu'ils laissent les adultes souper en toute tranquillité.

9 Pensez à remercier, par téléphone ou par courriel, vos hôtes de vous avoir reçus. Ils ne doivent surtout pas oublier comment il a été agréable de vous accueillir.

trucs et astuces

DONNEZ UN COUP DE MAIN À VOS HÔTES. L'ÉTÉ, PROPOSEZ DE REPEINDRE LA CLÔTURE. L'AUTOMNE, OFFREZ-VOUS POUR PASSER LE RÂTEAU OU ENCORE AIDER À SORTIR LE QUAI DE L'EAU. L'HIVER, DÉBLAYEZ L'ENTRÉE. AU PRINTEMPS, DÉSHERBEZ LES PLATES-BANDES... ILS NE POURRONT PLUS SE PASSER DE VOUS.

NOUS TENONS À REMERCIER

En premier lieu, nos chums Étienne et Dany, et nos enfants Antoine, Malorie, Jules et Robin de nous avoir supportées, encouragées et surtout endurées pendant la réalisation de ce projet des plus stimulants, mais non moins légèrement (ok, vraiment) chronophage.

Ensuite, nos parents Jacques, Linda, Michèle et Jean, parce que notre passion pour les chalets, elle vient d'eux. Les framboises dans un pot de yogourt, les sauts dans le lac, la chasse aux écrevisses… Nous avons eu envie de retrouver cette magie et de nous replonger dans ces souvenirs fabuleux. Merci également à Chantal, Hervé, Michel et Louise pour leurs encouragements et leur intérêt.

Pour concevoir des livres aussi drôles et légers, il nous a fallu faire énormément de recherches, mais aussi demander beaucoup d'avis. Parce que l'affaire, c'est que nous, nous parlons de tout, mais nous ne sommes spécialistes en rien. Nous aurions eu l'air pas mal plus folles sans l'apport de ces gens: Claire Lesné, Ariane Paré, Stephanie Mignacca, Jacques Nadon, Linda Lapointe, Louise Nadeau, Raphaëlle Lapointe Nadon, Odette Lapointe, Amélie Bilodeau, Françoise Nadon, Michèle Marcotte, Jean Boislard, Charles Nichols, Valérie Bellemare, Nadine de Rothschild, Pierre Curzi, Mathieu Nadon, Josée Dallaire, Gabrielle Godbout, Flavie Léger-Roy, Julie Bergeron, Yellowtable, Dany Placard, Francis Gélinas, Martin Forcier, Marie-Eve Bujold, François Trempe et Sylvie Neveu.

Et merci à tous ceux que nous ne nommons pas, mais qui ont contribué, de près ou de loin, par leurs bons conseils, leur avis éclairé, leur bon goût ou leur œil de lynx à la réalisation des *Guides*.

Pour finir, merci à Antoine Ross-Trempe et à l'équipe des Éditions Cardinal (Noémie Graugnard, Emily Patry) d'avoir accepté, presque aveuglément, d'embarquer dans notre projet et de nous avoir soutenues tout au long de l'aventure.